»
Colle … te

l'abbé Prevost

Manon Lescaut

analyse critique

par Roger MATHÉ
agrégé de l'Université
docteur ès lettres

ISSN 0750-2516 **ISBN** 2 - 218 - **00447** - **X**

Sommaire

Note : Les références aux pages qui figurent dans cet ouvrage renvoient à l'édition du « Livre de Poche ».

Pourquoi lit-on « Manon Lescaut »?

1

UN PARFUM DE SCANDALE

A l'évidence, l'histoire du chevalier Des Grieux et de la frivole demoiselle Lescaut est un cas humain, éternellement actuel. Même travestie en vaudeville, elle recrée l'atmosphère de sensualité aristocratique, d'insouciance immorale irradiant du livre. Mais à notre époque blasée, qui s'offusquerait d'amours aussi capricieuses ? Les personnages du film ne prennent plus au tragique leurs infidélités réciproques.

Depuis plus de deux siècles, ce roman traîne dans son sillage une réputation un peu scandaleuse qui n'est pas étrangère à son succès. La trop séduisante Manon faillit conduire son créateur au bûcher, du moins si l'on avait exaucé le vœu de Mathieu Marais, avocat au Parlement de Paris : « Un fou... vient de faire un livre abominable... On y courait comme au feu dans lequel on aurait dû brûler et le livre et l'auteur... »[1] Les journaux de l'époque qualifient les héros d'« escroc » et de « catin », déplorent l'impudicité de leur comportement. Un fils de famille en rupture de séminaire, ensorcelé par une fille de joie, devenant pour elle voleur et meurtrier, une drôlesse qui gruge les vieux messieurs trop crédules et très riches, un frère entremetteur, un parfum inquiétant de débauche... La société d'un XVIIIe siècle, encore en son printemps, s'indignait de se voir si indiscrètement représentée.

1. Lettre au président Bouhier du 1er décembre 1733.

LÉGENDES ?

Aussi, que ne raconte-t-on pas sur l'auteur ? Il court sur le bon abbé des rumeurs extravagantes : « (C')est un malheureux qui a toujours vécu dans la débauche la plus crapuleuse, écrit Collé. Il brochait le matin une feuille dans son lit, une fille à sa gauche, et une écritoire à sa droite, et il envoyait cette feuille à son imprimeur qui lui donnait un louis sur le champ ; il buvait le reste du jour ; c'était sa vie commune [1]. » Son existence aurait été un tissu d'aventures ou burlesques ou sinistres. A seize ans, déjà défroqué et déserteur, il précipite son père au bas d'un escalier. Motif : Liévin Prévost a frappé à coups de pied la maîtresse de son fils enceinte. Réfugié une première fois en Hollande, le jeune aventurier épouse deux femmes, les quitte, s'enfuit à Bâle, puis à Londres, d'où son inconduite le fait expulser. A Yvetot, en 1720, il abandonne, épuisé de fatigue, une fille que l'on déporte au « Mississipi ». Alors, de désespoir, il se réfugie dans un couvent de Bénédictins. Quelques années plus tard, il s'évade de Saint-Germain des Prés, se réfugie en Angleterre, de là à Amsterdam où il est garçon de café, directeur de théâtre, escroc... ? De retour à Londres, il risque la potence. Dans ce pays, il se convertit au protestantisme. Revenu dans sa patrie, et réintégré dans les ordres, il s'habille en officier de cavalerie et continue sa vie de débauche. Sa mort même est un défi au sens commun : frappé d'apoplexie, il aurait succombé sous le scalpel du chirurgien qui l'autopsiait.

Évidemment, il faut faire la part de la légende et de l'envie. Il n'en reste pas moins que Prévost, jésuite, officier, bénédictin, nouvelliste, romancier, historien, amoureux incorrigible... mena une vie hors du commun.

Quant à l'œuvre, en dépit de sa limpidité, de ses dimensions réduites, elle possède de telles richesses qu'elle provoque, aujourd'hui encore, les réactions les plus opposées.

1. *Journal et Mémoires*. Didot, 1868. *Les Mémoires du chevalier de Ravanne* (Londres, 1751) dont l'auteur est Jean de Varenne, - et : *De l'usage des romans*, Amsterdam, 1734, par Lenglet-Dufresnoy, ont répandu sur l'abbé Prévost la plupart de ces calomnies.

ROMAN DE LA CRAPULE?

Pour un critique marxiste [1], la touchante histoire des deux amants est en réalité une peinture malsaine des bas-fonds parisiens. M. A. Wurmser condamne « l'amour de deux jeunes bandits » et réprime à grand peine « un haut-le-cœur » en lisant « les avatars d'une fille et de son souteneur ». Et de conclure : « Non, jamais la bassesse d'âme n'a été dépeinte avec plus d'intelligence et de naturel. »

Sans partager cette vertueuse indignation, Pierre Mac Orlan met l'accent sur l'audace du sujet et de sa modernité : « Transportée dans le climat de notre temps, l'histoire simplement dite par l'abbé devient un drame de la pègre, celui des truands de bonne famille et de la rue, celui des fillettes immorales, mais charmantes [2]. » Héritier de *la Princesse de Clèves* et des tragédies raciniennes, cet ouvrage serait-il un document scabreux, respirant la sensualité, sur les gens en marge et la « dolce vita » d'un Paris auquel la frivole Régence vaut une bien fâcheuse réputation?

C'est un fait : non seulement l'auteur parle de tripots, de cabarets à cabinets particuliers, d'hôtels meublés, met en scène des vieillards lubriques, de jeunes fêtards, une prostituée et tout un arrière-plan de gardes-bandits, d'archers vénaux, de tricheurs organisés en gang, de prison, de bagne... mais son héroïne, la divine Manon, a le comportement, la mentalité, le langage d'une fille. Elle a un amant de cœur, qui lui donne du plaisir, dont elle caresse amoureusement les beaux cheveux, et des amis sérieux, chargés de subvenir à ses dépenses. Elle trouve naturel de satisfaire, en faisant commerce de sa beauté, aux besoins de son chevalier et de son frère. « Une femme comme elle devrait nous entretenir tous les deux » soupire Lescaut [3]. Tel est l'avis de Manon qui, sûre de son empire, déclare à Des Grieux dans un moment d'exaltation : « Je t'adore, compte là-dessus. Malheur à qui va tomber dans mes filets! Je travaille pour rendre mon chevalier riche et heureux. » « Je travaille! » Les créatures de Carco, de Simenon, de San Antonio emploient ce verbe en

1. A. Wurmser - Conseils de révision. *La lumière*, 3 février 1939. 2. Préface de l'édition Gallimard 1959, p. XI. 3. P. 69.

des circonstances semblables. Et l'ex-séminariste, titré, croix de Malte, finit par accepter la dégradante condition de protecteur. Il dépense l'argent extorqué à M. de B., tient le rôle du petit frère que pensionne le vieil amant, s'acoquine avec des gredins de tout acabit, sans parler de sa dextérité à éliminer d'une pistolade un portier gênant. On peut s'apitoyer sur les malheurs d'amoureux aussi jeunes (ils ont l'âge de Roméo et de Juliette), admirer la constance d'une passion aussi tenace que le lien unissant, au-delà de la mort, Tristan et Yseut. Mais cet amour a une odeur malsaine qui le dégrade; ces jouvenceaux si gracieux, si bien appariés, inquiètent : « Les pauvres enfants, s'écrie un barbon bafoué, les surprenant en flagrant délit, ils sont bien aimables, en effet, l'un et l'autre, mais ils sont un peu fripons [1]. »

ROMAN JANSÉNISTE [2] ?

Et pourtant, au libertinage des mœurs se mêlent des élans de piété, des moments de repentir, des discours édifiants qui soulignent les temps forts de l'intrigue et donnent à l'œuvre une autre dimension. « Tout sert à parer Manon, même les trésors de l'Église » [2] écrit P. Hazard. La religion ne saurait être absente d'un livre écrit par un moine et dont le héros est un ancien séminariste.

Bien que Des Grieux vive dans les pires désordres, il conserve l'empreinte de l'éducation chrétienne qu'il a reçue. Lors de la rencontre fatale, il se présente lui-même comme un jeune homme studieux, ingénu, voué à la prêtrise. Manon le trahit-elle laidement, le livre-t-elle à son père? Le pauvre galant se résigne et cherche la paix dans la méditation. « Je mènerai une vie sage et chrétienne, disais-je; je m'occuperai de l'étude et de la religion qui ne me permettront point de penser aux dangereux plaisirs de l'amour [3]. » Parole tenue, tant que la belle le laisse en paix. A Saint-Sulpice, il prie, il étudie, on l'encense. Le démon ne le possède plus.

Même au temps de ses turpitudes, il ne perd pas la foi. S'il fait bon marché de l'autorité paternelle, s'il se moque de l'opinion publique, de la morale, des lois, il a peur du cour-

1. P. 186. 2. Cf. Paul Hazard, Études critiques sur *Manon Lescaut*. Chicago, Ill, the University of Chicago Press 1929. 3. P. 53.

roux divin. La pensée de l'Enfer, voilà le seul frein qui ralentisse sa chute. Quand il est « dans le délice du plaisir [1] », il pense que son âme est en péril, que Manon compromet beaucoup plus que son honneur et sa vie. Le Malin rôde autour de leur alcôve. Et la séductrice n'est pas une impie. « Elle était droite et naturelle dans ses sentiments [2]. » Aussi, loin des tentations de Paris, le couple exilé vit bourgeoisement dans une chaumière. Manon qui périt pour ne point quitter son ami, de catin devient une héroïne pitoyable. Quant à Des Grieux, il renonce pour toujours à ses erreurs passées. Comment expliquer l'élévation finale de deux êtres qui si longtemps vécurent dans le péché ?

Par leurs dispositions innées, la pression des circonstances ? En les mettant au ban de la société, le châtiment que leur infligent les hommes les place à l'abri d'une civilisation dépravée. Aux bouches du Mississipi, les deux coupables mènent, à leur corps défendant, une existence selon les lois de la nature, qui les régénère. Leur corruption n'étant que de surface, les bons instincts qu'ils portaient en eux peuvent librement s'épanouir. Mais, objectera-t-on, dans leur ermitage de Chaillot, à l'abri de la ville et de la justice, les deux amants pouvaient s'aimer sans faillir. Or la rencontre du jeune G. M. sans que rien les y contraignît, les fit renouer avec l'aventure : donc, invoquer les lois de la nature ne suffit pas à expliquer leur conversion finale.

P. Hazard propose une solution séduisante : *Manon Lescaut* est un roman d'inspiration janséniste. En fonction de cette doctrine s'éclairent les comportements des personnages et l'épilogue. Si Manon et son ami, qui ont le sens de l'honneur, du bien, de la religion retombent sans cesse dans la faute, c'est qu'ils sont victimes de la fatalité et qu'ils en ont conscience. A peine a-t-il entrevu Manon que le jeune homme perd tout contrôle sur son avenir : il lui faut subir « l'ascendant de sa destinée [3] ». Quand il la revoit à Saint-Sulpice, il sait qu'elle va le perdre, mais qu'il ne peut échapper à son sort. La passion qui l'affole et modifie son caractère est « l'un de ces coups du destin qui s'attache à la ruine d'un misérable » [4]. Et à chaque désastre, il maudit son « fatal » amour.

1. P. 181. 2. 224. 3. P. 56. 4. P. 74.

« Des Grieux est un chrétien auquel manque la grâce. » Le chevalier est prédestiné à aimer Manon et à souffrir de cet amour. Son commerce charnel est une épreuve que le ciel lui impose. Quand Dieu juge l'expiation suffisante, il se montre miséricordieux, en faisant mourir Manon à l'heure où elle s'est rachetée, en dessillant les yeux de son amant. Deux phrases du texte laissent entrevoir les intentions de l'auteur qui, s'il n'est pas janséniste, est brouillé avec les jésuites. Après la mort de l'héroïne, le chevalier a le sentiment d'une intervention divine. Le Ciel, dit-il, « m'éclaira des lumières de sa grâce, et il m'inspira le dessein de retourner à lui par les voies de la pénitence [1]. » Et voilà qui est encore plus probant : au cours de son entretien avec son ami incarcéré, Tiberge, entendant un plaidoyer trop subtil, s'écrie : « Dieu me pardonne... Je pense que voici... un de nos jansénistes. »

ROMAN CLASSIQUE?

Roman de la pègre ou roman janséniste? Chacun a le loisir d'interpréter l'œuvre selon ses principes ou ses préjugés. En tout cas, sa valeur esthétique est éclatante.

Dans *Manon*, Prévost trouve l'art de la mesure : peu de procédés romanesques apparents, une simple esquisse des milieux. Comme Mme de La Fayette ou Racine, il néglige l'extérieur et se préoccupe surtout des âmes. L'intrigue qui se noue à Amiens, dans la cour d'un relais de poste, et se dénoue en Amérique, se prêtait à des tableaux colorés : c'est à peine si l'on entrevoit l'hôtel de la rue de V.., la maison de Chaillot, les cellules de Saint-Lazare, les marais de la Nouvelle-Orléans... Même refus de nous faire connaître l'extérieur des personnages. Nous ignorons tout des galants, jeunes ou vieux, de Manon, tout de Lescaut et de ses « braves », du gouverneur de la colonie, de Tiberge, du Supérieur. Aucun détail sur les rivages, les silhouettes, les vêtements, le timbre de la voix. Quant aux deux amants, quelques épithètes élogieuses leur tiennent lieu de portrait.

1. Édition de 1731, texte modifié en 1753, p. 238.

En revanche, le caractère de tous les acteurs, principaux ou comparses, est étudié : cynisme de Lescaut, sottise prétentieuse de M. de G.M., onctueuse bienveillance du prieur, emportement de Synnelet, pourtant homme d'honneur, cupidité des archers... L'essentiel du propos, c'est l'éclairage des âmes. Il s'agit de peindre la passion souveraine et ses conséquences. Le drame qui déchire Des Grieux, puis Manon, c'est le classique conflit entre l'instinct amoureux et diverses formes de devoir. A la manière des personnages classiques, le protagoniste analyse ses crises de conscience, soit dans des monologues intérieurs, soit au cours de conversations avec les représentants de l'ordre social et religieux. Par leur exemple et par la leçon qu'ils tirent de leur malheur, les deux amants servent à illustrer le problème moral, tant de fois traité par les tragiques, les romanciers, les sermonnaires du siècle précédent : la passion possède un pouvoir destructeur que la foi, la raison, et le respect de soi-même doivent combattre.

Classique, *Manon* l'est également par sa discrétion, la densité et la pudeur des moyens d'expression. P. Hazard admire sa composition en cinq actes, les quatre premiers montrant les ravages de la passion, le dernier la sanction salutaire. Manon est punie par la mort, Des Grieux par la solitude. Donc, la justice du Ciel l'emporte sur l'obstination des rebelles et ne se satisfait pas de leur tardif repentir. Cet enseignement est donné par une action dont les ressorts sont psychologiques, le hasard n'intervenant que pour accélérer le rythme. Tous les détails inutiles sont supprimés. Si la clef de la chambre où Manon est détenue a « une grosseur effroyable », c'est qu'elle est le symbole de l'obstacle qui sépare les deux amoureux. Signaler que Lescaut loge chez un carrossier, c'est donner au récit un cachet d'authenticité, en introduisant une précision gratuite. Prévost observe toujours un ton de bonne compagnie, ennoblissant les laideurs par le recours au beau langage. Ancien élève des Jésuites et des Bénédictins, admirateur de Fénelon et de Racine, écrivain scrupuleux quand il daigne se relire, il a donné à son chef-d'œuvre la profondeur psychologique, la valeur morale, la dignité d'un ouvrage classique.

ROMAN PRÉROMANTIQUE ?

La vérité humaine est si complexe qu'on a cru remarquer en ce roman des résonances préromantiques. L'essentiel de l'intrigue est la confession d'un amant que la mort de sa maîtresse laisse désemparé, seul avec ses regrets et ses remords. Bien avant Antony ou René, Des Grieux se présente comme un être fatal, que sa mauvaise étoile a réservé aux passions sublimes et aux grandes douleurs. Une certaine pose se mêle à l'aveu de son chagrin : il souligne la cruelle brutalité de ses chutes successives, la perfidie du ciel qui, pour mieux le désespérer, lui ménage des périodes de bonheur. Puis une catastrophe le sépare de Manon. Devenu tricheur, voleur, meurtrier, proscrit, le chevalier de Malte porte l'auréole des grands maudits.

Bien que Manon soit sa raison de vivre, la cause de sa déchéance, il ne parle guère que de lui. C'est sa souffrance qu'il étale indiscrètement, et s'il se condamne, il essaie d'apitoyer l'auditeur sur son sort. D'où le récit de ses violents transports, de ses prostrations, de ses évanouissements. Il a même la tentation du suicide : « Adieu, je vais aider à mon malheureux sort. » Sa sensibilité se déverse, démesurée; elle a besoin de s'extérioriser bruyamment par des cris, des larmes, des imprécations, des insultes, des bravades. On dirait qu'il prend plaisir à raviver sa souffrance. Toujours, il fait profession de sincérité : une âme mise à nu.

Manon est, dans une certaine mesure, une héroïne préromantique par son destin orageux, tragique. Elle a choisi de vivre dangereusement; à sa manière, elle brave la société qui se venge en l'emprisonnant, en l'avilissant, en l'envoyant mourir en exil. Aïeule de Marion Delorme [1], elle est purifiée par son sacrifice tardif qu'inspire l'amour; au temps de ses désordres où elle se montre sensuelle, perfide, perverse, elle garde une décence exemplaire. Enchaînée dans le chariot de la honte, elle demeure distinguée. Elle est le symbole vivant de la passion qui, à un pareil niveau, devient principe de sublimité.

1. Héroïne d'un drame de Victor Hugo qui porte ce nom (1831).

« Manon Lescaut », son auteur, son époque

2

TABLEAU CHRONOLOGIQUE

	L'homme, l'œuvre	En France et à l'étranger
1697	4 avril : naissance de Prévost à Hesdin (Artois)	naissance de Hogarth
1699		(21 avril) mort de Racine. *Télémaque.*
1707		
1708		Law à Paris.
1709	P. lit *Télémaque, les Caractères*, les tragédies de Racine.	*Turcaret* (Lesage).
1711	Mort de Marie Duclay. P. élève au collège de jésuites de Hesdin.	Addison fonde *The Spectator.*
1712	Fugue de P. qui s'enrôle.	Naissance de Rousseau.
1713	P. soldat.	Naissance de Diderot.
1715	P. élève au collège de jésuites de La Flèche. Noviciat	Lesage commence la rédaction de *Gil Blas.* Condamnation du jansénisme par la Bulle Unigenitus. Mort de Louis XIV. Louis XV (5 ans), roi de France. Philippe d'Orléans, régent.
1716	Nouvelle fugue aux armées (?)	Law fonde à Paris la Banque générale.
1717		Watteau peint *l'Embarquement pour Cythère.* Voltaire embastillé. Pendant sa détention, écrit sa première tragédie, *Œdipe.*

	L'homme, l'œuvre	En France et à l'étranger
1717		Début de la déportation en Louisiane de filles de la Salpêtrière. Le chevalier de Bouillon lance la mode des bals masqués à l'Opéra. Law fonde la compagnie d'Occident.
1718	P. s'exile (en Hollande ?).	Bienville fonde La Nouvelle-Orléans.
1719	P. admis à l'abbaye bénédictine de Saint-Wandrille.	Mort d'Addison. *Robinson Crusoë* (Daniel de Foë). Law met au point son système.
1720		*Robinson Crusoë* est traduit en français. Faillite de Law qui s'enfuit en Belgique. Banqueroute, inflation, chômage. Édit somptuaire contre le luxe. Fin des déportations en Louisiane.
1721	2 novembre P. fait sa profession de foi à Jumièges.	*Lettres Persanes.* Mort de Watteau.
1723		Marivaux fonde *le Spectateur français* (périodique). De Foë publie *Moll Flanders.*
1726	Mgr Sabathier, évêque d'Amiens, ordonne P. prêtre. P. prédicateur mondain.	Voltaire en Angleterre. Swift publie les *Voyages de Gulliver.* Mariage de Louis XV et de Marie Leczinska.
1727	Séjour à Saint Germain-des-Prés. Commence la rédaction des *Mémoires d'un homme de qualité*	Mme Pénélope Aubin publie *The Illustrious French Lovers.*
1728	18 oct. fugue de P. qui se défroque 22 nov. P. s'enfuit en Angleterre.	Chambers publie son dictionnaire : *Cyclopoedia.*
1730	oct. P. passe en Hollande. Liaison avec Lenki. Écrit *Cleveland,* termine les *Mémoires.*	*Le Jeu de l'Amour et du Hasard* (Marivaux). Le roi impose au clergé la Bulle Unigenitus. Soulèvement des Natchez en Louisiane.

	L'homme, l'œuvre	En France et à l'étranger
1731	Publication de *Cleveland* et de la suite des *Mémoires* (peut-être du T. VII : *Manon Lescaut*)	Marivaux écrit un roman : *la Vie de Marianne*. Hogarth commence à peindre ses tableaux satiriques (contre la corruption des mœurs de la noblesse anglaise). La Compagnie occidentale cède la Louisiane au pouvoir royal. Fleury pacifiste, premier ministre.
1732		Naissance de Fragonard. *Zaïre* (Voltaire), musique de Couperin. Les convulsionnaires de Saint-Médard.
1733	Départ de P. en catastrophe de la Hollande pour l'Angleterre. Y fonde *le Pour et Contre*. Publication à Rouen de *Manon Lescaut*. Condamnation. 13 déc. à Londres, P. incarcéré pour escroquerie.	Salons de Mme de Lambert et de Mme de Tencin. Walpole, pacifiste, dirige la politique anglaise.
1734	P. revient à Paris. Bien accueilli.	*Lettres anglaises* de Voltaire. Boucher à l'Académie.
1735	2e noviciat à l'abbaye de la Croix-Saint-Leufroy.	Les *Indes Galantes*, opéra de Rameau. Réédition du *Roman de la Rose*.
1736	P. aumônier du prince de Conti. Loge rue Guénégaud, puis au Temple.	Voltaire en relations avec Prévost. Marie-Thérèse d'Autriche épouse François de Lorraine.
1739	Mort du père de P. P. termine *Cleveland*. Écrit le *Doyen de Killerine*.	
1740	*Le Pour et Contre* cesse de paraître. Abondante production littéraire.	Naissance de Choderlos de Laclos. *Paméla* (roman de Richardson). Frédéric II roi de Prusse. Marie-Thérèse impératrice d'Autriche.
1741	P. doit repartir en exil (Bruxelles, Francfort). Mai. Après un court exil, P. de retour à Paris.	Guerre de Succession d'Autriche. Jeanne Poisson devient marquise de Pompadour.
1743		Mort du cardinal Fleury.
1746	P. s'installe à Chaillot.	

	L'homme, l'œuvre	En France et à l'étranger
1747	Traductions, compilations.	*Zadig.* *Clarisse Harlowe* (Richardson). Le traité d'Aix-la-Chapelle (1748) met fin à la guerre de Succession d'Autriche.
1749		*Lettre sur les aveugles.* Diderot incarcéré à Vincennes.
1750		Prospectus de l'Encyclopédie. Jean-Sébastien Bach meurt à Leipzig.
1751	P. traduit *Clarisse Harlowe.*	
1753	Édition corrigée et illustrée de *Manon* à Amsterdam.	*Le Devin de village* de Rousseau est joué à l'Opéra de Paris.
1754	P. obtient le bénéfice du prieuré de Saint-Georges-de-Gesne. Installation à Saint-Firmin, près de Chantilly.	*Traité des sensations* (Condillac).
1755	Traduit Richardson. Travaille à une *Histoire générale des voyages.*	Mort de Saint-Simon. Brouillé avec Frédéric, Voltaire quitte Berlin et s'installe aux Délices. Tremblement de terre de Lisbonne (nov.).
1756		Rousseau s'installe à l'Ermitage chez Mme d'Épinay. Début de la guerre de Sept ans.
1759	Édition de *Manon Lescaut* à Amsterdam et à Leipzig.	L'Encyclopédie est condamnée. Voltaire s'établit à Ferney. *Candide.*
1761		Publication de *la Nouvelle Héloïse.*
1762		Publication du *Neveu de Rameau.* Publication de *l'Emile* et du *Contrat Social.* Une suite de *Manon Lescaut,* attribuée à Laclos, paraît à Amsterdam.
1763	25 nov. Mort de Prévost.	Traité de Paris (10 janv. 1763). La Louisiane est cédée à l'Espagne.

BIOGRAPHIE SOMMAIRE DE PRÉVOST

La vie de l'abbé Prévost est aussi romanesque que fertile en légendes, comme nous l'avons vu [1]. Si malgré les efforts des érudits elle reste encore baignée d'ombre, c'est que - dernière mésaventure posthume de l'écrivain - ses papiers furent brûlés en 1844 par un héritier mal avisé. Les renseignements suivants sont pour la plupart empruntés à l'ouvrage d'Henri Roddier : *L'abbé Prévost, l'homme et l'œuvre* (op. cité dans la bibliographie).

- *Aventurier et Bénédictin*

Né à Hesdin, près de Montreuil-sur-Mer, le 1er avril 1697, dans une famille de magistrats, Antoine-François Prévost fait en 1711 et en 1712 de brillantes études au collège des jésuites de sa ville natale. Mais à la suite d'une intrigue amoureuse, il s'enfuit du collège et s'enrôle dans l'armée royale. Redevenu civil, quand le traité d'Utrecht eut mis fin à la guerre de Succession d'Espagne (1713), il reprend le cours, interrompu, de ses études chez les jésuites, où il fait son noviciat. Nouvelle disparition. Peut-être s'engage-t-il une deuxième fois dans l'armée. Cette période de sa vie (1716-1719) est obscure. Sans doute vécut-il à Paris, fréquentant le monde brillant et dissolu de la Régence. Officier, une « affaire sérieuse » (?) l'oblige à s'expatrier (en Hollande?). Une mésaventure sentimentale le fait renoncer au siècle. Les jésuites alors le rejettent, mais les Bénédictins de l'abbaye de Saint-Wandrille, près de Rouen, l'accueillent dans leur communauté. Le 9 novembre 1721, il fait sa profession de foi, à l'abbaye de Jumièges. Ordonné prêtre en 1726 par Monseigneur Sabathier, évêque d'Amiens, il connaît quelque succès comme prédicateur mondain, à Évreux, puis à Paris, aux Blancs-Manteaux, enfin à Saint-Germain-des-Prés.

1. Cf. pp. 2-4.

• *Littérature, exil, finances*

C'est alors que le bénédictin devient homme de lettres. Pensionné, il s'occupe de travaux historiques et commence la rédaction des *Mémoires et aventures d'un homme de qualité qui s'est retiré du monde*. Le manuscrit, soumis le 15 février 1728 au jugement du censeur Blanchard, reçoit l'autorisation d'imprimer le 5 avril (tomes I et II) et le 19 novembre (tomes III et IV). Il est publié sans nom d'auteur.

Nouvelles vicissitudes du romancier : à la suite d'un conflit avec le Supérieur Général de l'Ordre, Dom Thiébault, il s'enfuit de l'abbaye de Saint-Germain-des-Prés (18 octobre 1728). Pour échapper à un mandat d'arrêt, il passe en Hollande, puis en Angleterre. Protégé par l'archevêque de Canterbury, il découvre le théâtre élisabethain et fréquente la société londonienne. Une aventure galante l'oblige à retourner en Hollande (1729). Il vit à Amsterdam, en compagnie d'une certaine Lenki, d'origine suisse ou hongroise, qui le gruge. Sa production littéraire est importante. Il publie en 1731 *Le philosophe anglais ou Histoire de Monsieur Cleveland, fils naturel de Cromwell* et la suite des *Mémoires d'un homme de qualité*, dont le tome VII est l'*Histoire du chevalier Des Grieux et de Manon Lescaut*.

Criblé de dettes et poursuivi par ses éditeurs qui font vendre ses meubles, Prévost s'enfuit en Angleterre avec Lenki (1733). Il fonde à Londres un périodique, *le Pour et Contre*, qui paraîtra jusqu'en 1740. C'est à cette date qu'est réimprimée à Rouen l'*Histoire du chevalier Des Grieux et de Manon Lescaut*. Le livre est saisi, Prévost est arrêté à Londres le 13 décembre pour tentative d'escroquerie. Libéré, il semble s'assagir, obtient son pardon du pape Clément XII (5 juin 1734), rentre en France où, selon Mathieu Marais, il est « très bien reçu ». Mais il est astreint à faire retraite pour un nouveau noviciat à l'abbaye de la Croix-Saint-Leufroy, près d'Évreux, en 1735. Une nouvelle édition de *Manon*, roman jugé licencieux et de tendance janséniste, est saisie chez les libraires.

• *Un écrivain fécond*

En décembre 1735, Prévost rentre à Paris, devient aumônier sans pension du prince de Conti. Dès lors, il mène une vie rangée, mais pour subsister, il doit écrire. Il termine *Cleveland*, écrit en 1739 *le Doyen de Killerine*, en 1740 l'*Histoire de Marguerite d'Anjou, reine d'Angleterre, l'Histoire d'une Grecque moderne, Les Mémoires pour servir à l'histoire de Malte ou histoire de la jeunesse du Commandeur, Les Campagnes philosophiques de Monsieur de Montcal*. La publication de *Manon* est enfin autorisée (réimpression à Amsterdam et à Paris, 1737).

Malgré ses succès de librairie, Prévost qui est lié avec Mme de Chester (Lenki ?) est en butte à de graves difficultés financières. Incorrigible, il doit repartir en exil (Bruxelles, puis Francfort) parce qu'il avait collaboré à une feuille satirique. Gracié, il revient à Paris, rompt avec Mme de Chester et s'installe à Chaillot. Il traduit dans cette solitude champêtre *Clarisse Harlowe* de Richardson (1751), publie en 1753 à Amsterdam chez Didot une édition de sa *Manon*. En 1754, il obtient du pape Benoît XIV le prieuré de Saint-Georges-de-Gesne près du Mans. Il s'installe à Saint-Firmin, village à proximité de Chantilly et commence à rédiger *l'Histoire de la maison de Condé*. Cet important travail est mené de front avec une traduction de *l'Histoire de Sir Charles Grandisson* (Richardson) et la rédaction de *l'Histoire générale des voyages* inspirée de l'ouvrage de John Green.

Prévost passe sa vieillesse, après une existence aussi tourmentée, dans sa maison de Saint-Firmin, en compagnie d'une gouvernante, Mme Gentil. Ses seules relations sont les Bénédictins de Chantilly. Il retrouve la foi et songe à écrire des ouvrages de piété. Mais il est foudroyé par une attaque d'apoplexie le 25 novembre 1763. Les Bénédictins réclament sa dépouille et l'ensevelissent dans leur abbaye.

En 1764 - revanche posthume - Dom Dupuis, bénédictin de Saint-Maur, publie *les Pensées de Monsieur l'abbé Prévost et un Abrégé de sa vie*.

GENÈSE DU ROMAN

Paru en 1731, *Manon Lescaut* fut diffusé d'abord en Hollande et ne fut guère connu en France qu'en 1733. La genèse de l'ouvrage donna lieu à bien des controverses. L'histoire de ces amours a un tel accent de vérité qu'il est tentant de la regarder comme la transcription romancée d'une expérience vécue, non comme une fiction. Vécue par l'auteur? par d'autres dont les infortunes lui auraient été contées? S'agit-il d'un roman à clefs ou d'une confidence personnelle, arrangée par souci de discrétion?

Lors de son premier séjour à Paris, en 1719, Prévost aurait recueilli les échos d'une aventure fangeuse, venue des Tropiques. Une dame Froger ou Quentin, originaire d'Angers, avait débauché un jeune homme de bonne famille, René du Tremblier, qui se faisait appeler le chevalier Avril de Varenne. Emprisonnée à Nantes, à la demande des siens, elle s'était évadée en 1715, grâce au crédit de son amant sérieux, Raujon, agent commercial du tout puissant directeur de la Compagnie des Indes, M. Crozat. Le trio s'installa à Biloxi en Louisiane et vécut en parfait accord jusqu'au jour où Raujon envoya son rival faire la traite chez les Illinois. Ce fut un scandale dont s'émut le gouverneur La Mothe-Cadillac. A son retour du désert, La Varenne réclama sa compagne qu'il faisait passer pour sa femme. Il en appela au roi qui l'autorisa à rentrer en France avec « son épouse légitime ». Séduit par l'étrangeté exotique de ce récit, Prévost aurait changé les noms, remodelé les faits, élevé deux minables aventuriers à la dignité d'amoureux fatals.

A vrai dire, le romancier a pu connaître au moins trois Des Grieux [1]. Le premier, un officier de marine, conduisit à Mississipi un vaisseau, « *le Comte de Toulouse* », en 1713. Le second était un compatriote de l'écrivain : chevalier de Saint-Louis, il mourut le 25 mars 1723 et fut inhumé à Montreuil-sur-Mer. Quant au troisième, Charles-Alexandre, fils de Gaston des Grieux, seigneur de Saint-Aubin, il naquit à Lisieux en 1691. C'était un seigneur dissolu, mais mondain,

1. Duc de la Force, Le vrai des Grieux. *Les Nouvelles littéraires*, 8 janvier 1953.

lettré, amateur de musique. Vers 1721, il a pu entretenir des relations avec le bénédictin de Saint-Wandrille. Tiberge serait l'abbé d'Andrès [1], Louis Tiberge, qui fut missionnaire en Amérique, dirigea le séminaire des Missions et mourut le 30 octobre 1730, à l'époque où sans doute Prévost commença à écrire *Manon*.

Et Manon? L'héroïne pitoyable et perverse est l'objet d'une passion si brûlante qu'il semble difficile de la considérer comme une invention littéraire. Est-elle la fille Froger? Représente-t-elle plutôt une femme qui fit le bonheur et le tourment de l'abbé? Au temps de la gestation du roman (février-mars 1731), il est follement épris d'une étrangère, l'énigmatique Lenki Eckhardt. Il en est si « coiffé »... « que pour ne pas la désobliger, il se brouilla avec tous ceux qu'il avait tout lieu d'estimer », dit Ravanne. « Connue comme une sangsue » elle fut le mauvais ange du bon moine.

Autre suggestion [2], trop séduisante pour être acceptée sans réserve : selon une tradition vivace dans la famille de l'auteur au XIXe siècle, *Manon* aurait été un moyen de se délivrer d'un douloureux secret que Prévost portait en son cœur depuis douze ans. Dans *le Pour et Contre*, il explique sa retraite au couvent de Saint-Wandrille (été 1720) par une cruelle déception sentimentale. « La malheureuse fin d'un engagement trop tendre me conduisit au tombeau. » Avant de renoncer - provisoirement - au siècle, Prévost aurait accompagné au port une maîtresse à la chaîne. Mais, moins courageux que Des Grieux, il serait resté au rivage. Par la suite, voulant modifier, en le sublimant, le sens de sa triste aventure, il aurait inventé un dénouement tragique, inspiré en partie de l'histoire vécue par La Varenne et la fille Froger Quentin.

D'autres enfin prétendent que Dom Prévost, alors qu'il prêchait le carême en la cathédrale d'Évreux, vit s'arrêter à Pacy-sur-Eure un convoi de déportées en route pour le Mississipi. Mais, depuis six ans, on n'envoyait plus en Amérique les détenues de la Salpêtrière.

La vérité est impossible à cerner. Comme tous les créateurs, le romancier a dû utiliser des matériaux de provenance diverse : souvenirs et impressions personnelles, confidences,

1. L'abbaye d'Andrès est située près de Boulogne.
2. Cf. *Ce bon abbé Prévost*. André de Méricourt. Paris, Hachette 1932.

histoires colportées dans les tripots... Et aussi des réminiscenses littéraires : il a certainement lu *les Heurs et Malheurs de la célèbre Moll Flanders.* Quatre ans après le roman écrit par De Foë en 1727, Mrs Penelope Aubin, fille d'un officier protestant français réfugié à Londres, et dont Prévost résume la vie dans le numéro 58 (t. IV) de sa gazette, publie une adaptation anglaise : *The Illustrious French Lovers*, d'un recueil de nouvelles : *les Illustres Françaises* de Robert Challes. Deux de ces récits ressemblent à des épisodes du roman. Il est probable aussi que l'exilé eut vent d'un mélodrame de Lillo, *George Barnwell or the London Merchant*, qui triompha à Londres à l'automne 1730. La pièce présentait le pathétique destin d'un honnête garçon, pendu à l'acte V avec la courtisane qui l'avait dévoyé.

DES GRIEUX ET L'ABBÉ PRÉVOST

On peut multiplier les modèles et les sources. Une chose est certaine : c'est que Dom Prévost a créé le chevalier Des Grieux à sa ressemblance [1]. Tous les deux sont des hommes du Nord, Artésien ou Picard, de famille honorable. Orpheline de mère (Marie Duclay mourut en 1711), ils étudient dans un collège de jésuites, sont remarqués par leurs maîtres, qui les destinent aux ordres, font leur noviciat... L'un et l'autre ont un tempérament ardent qui s'accommode mal de l'austérité sacerdotale : adolescents, ils font une fugue, puis reviennent à la carrière ecclésiastique, à la suite d'une peine de cœur, sans enthousiasme. Leur vie durant, la passion amoureuse les entraîne de scandale en scandale, les contraignant à vivre en marge de la société. Assagis par le malheur ils finissent par se ranger et aspirent à une existence honorable.

Non seulement leurs destins suivent un cours parallèle, mais leurs personnalités sont identiques : esprits brillants, causeurs aimables, ils ont un pouvoir de séduction un peu troublant. Que ce soit pour se tirer d'un mauvais pas ou se mettre en règle avec leur conscience, ils se révèlent sophistes consommés. M. Etiemble relève quelques expressions em-

1. Maillot, *Le roman en France du XVI*[e] *siècle à nos jours*, p. 289.

ployées souvent par Des Grieux : « Je feignais, je fis semblant, j'affectai, je fis violence à ma sincérité... » Songeons à la manière dont le romancier pratique la restriction mentale, par exemple pour se disculper d'avoir rompu ses vœux. Il est clair que le créateur et son héros n'hésitent guère à travestir la vérité, que les scrupules ne les gênent pas. Et pourtant ils souffrent et se repentent de leur duplicité. C'est qu'ils sont pris entre leur ardeur amoureuse qui les aveugle, et un désir de respectabilité qui vient d'une éducation austère, d'une piété profonde, de leur vocation religieuse. Le drame du chevalier, c'est celui que vécut le moine deux ou trois fois dans sa vie : le conflit opposant à des principes un amour effréné qui, pour se satisfaire, fait fi de toute valeur morale.

Ainsi, ce roman mêle un peu de fiction - son auteur, ne serait-ce que par discrétion, se devait d'enjoliver ou de modifier la réalité, - à des expériences vécues, par Prévost et des personnages de rencontre. L'essentiel, le romancier l'a puisé en lui-même, dans la crise qui le secoua en 1719, dans des vicissitudes d'exil, de 1731 à 1734. Le visage de Lenki, ou d'une autre qui nous est inconnue, le hantait sans doute tandis qu'il créait sa Manon. Cette présence invisible et les souvenirs cruels ou charmants qu'elle évoquait peuvent seuls expliquer le frémissement d'un récit qui, par son accent de vérité, tranche dans l'édifice conventionnel des *Mémoires* de Prévost.

LA RÉGENCE, SON CLIMAT, SON STYLE

Manon Lescaut reflète la mentalité et les mœurs de la Régence, une époque aimable et libertine, spirituelle et dépravée. Louis XIV expire le 1er septembre 1715. C'en est fini de l'austérité, de la tristesse. Le soulagement est universel. La populace pousse des huées au passage des huit chevaux noirs qui traînent son corps à Saint-Denis. Dès le 2, le Parlement, sans tenir compte du testament fait un mois plus tôt par le monarque, évince le duc du Maine et proclame régent Philippe d'Orléans. Le gouvernement, la société prennent un autre visage. Tout se métamorphose, les méthodes politiques, les façons de penser et de vivre. La Cour se transporte de Versailles au Palais Royal. Le Roi Soleil, même vieux, sombre et vaincu, incarnait une tradition séculaire, dont soixante années de règne avaient consacré les formes et les rites. Sa personne se confondait avec l'État, il était le défenseur de la religion catholique, il représentait l'absolutisme, le conformisme et, dans sa vieillesse, un rigorisme bigot imposé par Mme de Maintenon. Le Régent, dont le pouvoir est contesté par les légitimés, la noblesse, Philippe V et nombre de parlementaires, ne se prévaut plus du droit divin, il n'est plus un symbole sacré, mais le chef d'un parti. Il lui faut défendre sa place, veiller aux intérêts d'un pays qui lui est momentanément confié. Plus de décision arbitraire : sept conseils le secondent; leurs membres, appartenant aux différents clans, confrontent leurs opinions avant de décréter. Le premier ministre, l'abbé Dubois, se déguise quand il veut rencontrer en secret son collègue anglais Stanhope. Le grand argentier est un écossais, Law, inventeur du papier monnaie. En créant la banque le 2 mai 1716, en imposant le principe du crédit et de la circulation de l'or, il invente le capitalisme moderne. L'abondance du papier monnaie, les agiotages de la rue Quincampoix aboutissent à la banqueroute de 1720; cette débâcle, provoquant des ruines et des enrichissements spectaculaires, remodèle une société dont elle bouleverse les structures, rompt l'équilibre moral. Une ère nouvelle commence.

Les classes privilégiées vivent dans l'immédiat. L'insouciance, le dérèglement remplacent les principes traditionnels. Les croyances religieuses, la morale, le sentiment de la dignité sont balayés par un désir éperdu de jouissance. La libération des esprits s'accompagne du libertinage dans la conduite. *Les Pensées sur la Comète* s'élèvent contre toutes les traditions, Fontenelle s'attaque aux origines surnaturelles des croyances. Montesquieu met en scène des Persans frondeurs qui raillent la majesté royale, traitent le pape de vieille idole. Le Pouvoir tolère les impertinences : Voltaire accuse le Régent d'inceste et d'assassinat : on l'embastille; une fois libéré, il reçoit une pension de sa victime. Au Palais Royal, plus question d'étiquette : « M. le duc d'Orléans n'était pas fait pour les règles ni la bienséance. » Bon époux et bon père, il donne l'exemple de l'inconduite. Les soupers qu'il organise dégénèrent en orgie. Il était « toujours en compagnie fort étrange : ses maîtresses, quelquefois une fille de l'Opéra, souvent Mme la duchesse de Berri, et une douzaine d'hommes... que... sans façon, il ne nommait jamais que ses roués », dit Saint-Simon. Les dames qui étaient les favorites du prince préparaient elles-mêmes les plats. « On buvait, on s'échauffait, on disait des ordures à gorge déployée, et des impiétés à qui mieux mieux, et quand on avait fait bien du bruit et qu'on était bien ivre, on allait se coucher et l'on recommençait le lendemain. »

La noblesse s'encanaille, prend le goût de l'ivrognerie, des ripailles crapuleuses. Les gentilshommes vont s'enivrer dans les maisons de bouteille. Les dames font pis encore. La bru du Régent, la princesse de Conti, la duchesse de Bourbon s'empiffrent, boivent, fument la pipe, entonnent des chansons gaillardes. La fille du Prince aguiche les passants dans le parc de son château, le Luxembourg. Elle a, dans ses amours, « une frénésie incroyable, un tempérament de feu ». Elle buvait à rouler par terre, ivre morte, vomissait sur ses voisins de table, et le bruit courait qu'elle était la maîtresse de son père. Les tableaux de J.-F. de Troy (le déjeuner d'huîtres) et de Lancret (le déjeuner de jambon) montrent des convives débraillés, dans des attitudes immodestes, des tables croulant sous la masse des plats, des flacons, partout des débris confus, un désordre inexprimable. Les dames ont des coiffures basses, à deux pièces, elles portent des robes « battantes », « ballantes », « volantes », sans ceinture, très décolletées, en étoffe transparente. Leur indécence est telle que la Palatine en disait : « On a l'air de sortir du lit. »

Ce dérèglement des mœurs s'associe à une aisance, à une élégance exquise. Les chaises à porteurs ont des pilastres d'argent, l'intérieur en velours cramoisi. Les femmes se fardent outrageusement avec du blanc, du rouge, de la poudre, des mouches. Les élégantes se font peindre des veines bleues sur les mains. Une Anglaise pudibonde, lady Montaguë, voyageant à Paris en 1718, est scandalisée : « Il faut que je vous dise quelque chose des dames françaises... Elles sont absurdes avec leurs fantaisies de parures, monstrueusement hors de toute nature par le rouge dont elles se fardent et leurs cheveux coupés courts, bouclés autour de leur figure et poudrées excessivement. » La société acquiert le sens du confort. Les hôtels conservent extérieurement la majesté, la symétrie du style Mansard. Mais l'intérieur devient douillet, grâce à un décorateur génial, Germain Boffrand. « Toutes ces distributions agréables que l'on admire aujourd'hui... qui dégagent l'appartement avec tant d'art... et qui font de nos demeures des séjours si délicieux et enchantés, n'ont été inventées que de nos jours [1]. » Des lambris, ornés de cadres ou de moulures, garnissent les cloisons. On dore les ornements, on remplace les tableaux par des glaces qui donnent à la pièce une étendue illusoire. Les arts cherchent à faciliter, à embellir l'existence.

Watteau exprime à ravir l'atmosphère de galanterie et d'élégance qui caractérise ce temps. Ses œuvres représentent des couples gracieux, folâtres, dans des parcs dont l'automne dore les frondaisons. Il leur arrive de s'embarquer pour Cythère, vers une île enchantée, aux sortilèges périlleux et enivrants.

LA VIE PARISIENNE D'ALORS

Ces oisifs élégants semblent nés pour aimer et se l'entendre dire. Quand Eros leur laisse des loisirs, ils fréquentent les Académies, s'adonnent au jeu, vont au spectacle, parfois dans les cafés. Les Académies sont des établissements où l'on forme des hommes du monde. On y enseigne la danse, la musique, l'équitation, l'escrime, et l'art des fortifications. L'Opéra est à la mode. Le Régent et sa fille assistent à ces bals et n'hésitent pas à se mêler à la foule. La Comédie Française, installée rue des Fossés-Saint-Germain, joue de 6 à 9 heures. Les gens de qualité s'y rendent en carrosse, - il y en a plusieurs milliers à Paris ; les autres empruntent des voitures de louage conduites par des « fiacres ».

Tout le monde s'adonne au jeu avec frénésie, les femmes sont particulièrement enragées. On triche au jeu du roi. Les pertes d'argent sont si grandes que le pharaon est interdit par une ordonnance. Il existe soixante-deux maisons de jeu, reconnues par les autorités. Une double rangée de lampions orne leur façade. Le gouvernement accorde à certains personnages le privilège de donner à jouer. Le duc de Gesvres

1. Parré, *Traité des Monuments*.

transforme son hôtel en tripot. Le 16 avril 1722, Mornay de Montchevreuil obtient l'autorisation de diriger huit académies de jeu, moyennant une redevance annuelle de 200 000 livres, à verser aux pauvres.

Les maisons de jeu clandestines pullulent. François Rakoczi, prince de Transylvanie [1], réfugié en France en 1713, laisse ses officiers organiser un tripot dans son hôtel, situé 9, quai Malaquais, à l'angle de la rue Bonaparte. Un rapport de police décrit ainsi cet établissement : « Vingt carrosses (sont) arrêtés à la porte, et dans la cour, dix-huit ou vingt chaises portatives et plusieurs porteurs et gens de livrée à côté; la porte et l'escalier éclairés de plusieurs lumières et un suisse à ladite porte. » Voici les salles de jeu : « Au premier, appartement ayant vue sur le quai, une grande chambre, trois tables, et douze ou quinze joueurs à l'entour, assis, jouant au jeu de lansquenet, la plupart ayant des paniers devant remplis de pièces d'or et d'argent et plus de soixante personnes, gens d'épée, allant et venant dans ladite chambre, les uns regardant, les autres pariant. »

Cette frénésie est la cause de désordres et de crimes. Le 6 avril 1733, un joueur ruiné se jette dans la Seine; le 21 juin, si l'on en croit le Journal de Paris et de la Cour, un homme est tué à la porte de l'hôtel de Gesvres. Les rues de Paris ne sont pas sûres; les gardes du corps sont les premiers à troubler l'ordre public. Bien que roturiers, ces soldats jouissent d'étranges privilèges : exempts de taille, ils battent le pavé, rossent les « fiacres », séduisent les filles, se font entremetteurs, s'enivrent, jouent, impunément. Plusieurs font partie de la bande à Cartouche.

La corruption des mœurs est générale. Quand Des Grieux parle « d'évêques et d'autres prêtres qui savent accorder fort bien une maîtresse avec un bénéfice », il pense peut-être au cardinal Dubois, à l'abbé de Tencin, au cardinal de Polignac, l'amant attitré de la duchesse du Maine.

Quant aux financiers, proies faciles pour les dames galantes, ils sont moins odieux et moins grossiers qu'au temps de Turcaret. Le traitant cède la place au banquier. Grands bourgeois comme les frères Paris, nobles tel d'Argenson ou Law, ils sont policés et bénéficient d'un grand prestige.

1. L. Mouton, *L'Hôtel de Transylvanie*, d'après des documents inédits, Paris 1907.

Beaucoup logent rue Vivienne, vont prendre l'air à Auteuil, s'ils aiment la nature, ou à Passy. Beaucoup de courtisanes fréquentent Chaillot. La galanterie est tolérée chez les actrices, affranchies de l'autorité paternelle, maternelle et même maritale. Les autres filles, en particulier celles qui ont fui leur famille pour échapper au couvent, sont à la merci de la police. Les inspecteurs paient leur charge jusqu'à 300 000 livres. Aussi sont-ils prêts à mettre en prison la première venue, pourvu qu'on les paie grassement [1].

Ce Paris déraisonnable, sensuel, riche en contrastes, de la Régence explique le cynisme ingénu des deux héros, rend plausibles leurs aventures picaresques.

LES DÉPORTATIONS A LA LOUISIANE

En 1712, l'exploitation de la Louisiane est cédée au financier Crozat. Pour peupler la colonie, chaque navire qui met le cap sur Biloxi transporte dix garçons et dix filles de seize à vingt ans. Les colons, réduits à organiser des razzias d'indiennes, réclament des épouses blanches. On leur envoie des pauvresses de Lorient, si laides que les coureurs des bois déclarent préférer « les sauvages ». Dès lors, la plupart des femmes envoyées à Mississipi sont des prisonnières choisies parmi « les plus séditieuses ». Rares jusqu'en 1717, ces déportations sont fréquentes de 1717 à 1720. Elles sont la conséquence du système de Law. Il faut utiliser le crédit créé en multipliant le numéraire : Law fonde la Compagnie de l'Occident qui, en 1719, fusionne avec la Compagnie des Indes. La main-d'œuvre manque. Les volontaires sont rares. On envoie là-bas des vagabonds, des mendiants, des faux-saulniers, des galériens [2]. Chacun peut demander au roi ou au lieutenant-général de police la déportation d'un parent gênant. Le transport a lieu dans des charrettes ou des coches d'eau, l'embarquement au Havre de Grâce et à la Rochelle.

1. Mathieu Marais, *Journal et Mémoires* (1715-1737).
2. Ordonnances du 10-11-1718 et du 8-1-1719. Cf. *Histoire de la Louisiane*, Henrich-Prévost, 1907.

Une estampe [1] porte en sous-titre : « Le triste embarquement des filles de joie de Paris et leurs adieux... à leurs amants. » Une chanson est en vogue :

« Pour peupler Mississipi
« L'illustre colonie
« Filous et putains de Paris
« Partent de compagnie. »

L'escorte est composée d'archers « vêtus d'un uniforme bleu, d'un chapeau bordé d'argent, armés d'une épée, d'un fusil à baïonnette et de deux pistolets de poche; ils portent une bandoulière bleue avec fleurs de lys jaune brodée, d'où leur nom de bandouliers ». Ils ont mauvaise presse. Brutaux, cupides, ils rançonnent ou dépouillent les prisonniers. Les incidents se multiplient. Les filles du convoi se mutinent, la foule prend le parti des déportées; même, un amant, aidé de gardes du corps, tente de délivrer sa belle [2]. Prévost n'affabule pas.

Les convois offrent un spectacle pitoyable. Avant le départ, on marie les garçons et les filles. Le mari et son épouse voyagent, liés par une chaîne. Cent quatre-vingts couples sont ainsi acheminés en une seule fois à Mississipi. Le 8-10-1719, trente charrettes partent de Paris, chargées de filles. Les conditions de transport sont inhumaines. Les condamnés passent la nuit dans des granges, parfois dans les fossés. Ils meurent de faim et de froid. En mars 1719, l'intendant de Rochefort, pris de pitié, nourrit à ses frais les déportées qu'on lui confie. Elles sont « dénuées de linge, bien que la plupart n'en aient pas changé depuis Paris [3] ». Le scandale de ces déportations est tel que Saint-Simon s'en émeut [4].

Afin d'abuser l'opinion, une campagne de presse est organisée : *le Nouveau Mercure* de septembre 1717 à mars 1719 présente la Louisiane comme un Eden. « Le climat est doux et tempéré; on y respire un printemps perpétuel. » En ce pays fortuné, les montagnes sont pleines d'or, d'argent,

1. Cabinet des estampes, t. CXI (Collection Hennin, feuillet 59.)
2. Archives de la Bastille (dossier Pierrette Picard.)
3. Archives de la Bastille (dossier M.A. Fontaine.)
4. Saint-Simon, *Mémoires*, t. XVII, p. 61 (édition Chéruel.)

de plomb, de cuivre, - les bœufs sauvages abondent. Le journal vante la saveur de leur chair, la finesse de leur peau.

Les sauvages sont inoffensifs et troquent l'or pour une hache, un miroir, une bouteille d'eau-de-vie. Un correspondant du *Mercure* prétend que la Nouvelle-Orléans compte alors 800 maisons et cinq paroisses. Charlevoix [1] rétablit la vérité : « Il y en a tout une centaine de baraques placées sans ordre, un grand magasin bâti en bois, deux ou trois maisons qui ne pareraient pas un village de France. » L'extension de la ville, fondée au printemps 1718, est entravée par les agents de la Compagnie qui ont leurs intérêts à Biloxi et à la Mobile où ils résident. Le gouverneur a des pouvoirs dictatoriaux : si les habitants font bon accueil aux émigrants, les femmes sont tirées au sort. L'existence est rude dans cette ville entourée de marécages; les fièvres y sévissent. La mer est à soixante milles et les débarquements ont lieu à Biloxi ou à l'île des vaisseaux.

1. *Journal historique IV*, p. 430.

Analyse du roman[1] 3

Manon Lescaut a la structure compliquée d'un roman d'aventures. Les événements se succèdent avec une telle rapidité, ils s'enchevêtrent en un écheveau si embrouillé qu'il est malaisé d'en démêler le fil. Véritables Bonnie et Clyde de l'époque Régence, usant certes de procédés infiniment moins sanglants, mais aussi immoraux, Manon et Des Grieux, soumis aux caprices de la passion et du hasard, vivent dangereusement, en hors-la-loi. A chaque instant, la ligne que suit leur destin se brise : alarmes, périodes de rémission, catastrophes... Aussi les récits occupent-ils une place prépondérante et les dialogues sont-ils brefs (excepté l'entretien entre le chevalier et Tiberge à Saint-Lazare, - sa conversation avec son père au Petit Chatelet).

Les descriptions sont réduites à des indications sommaires, les réflexions et les remarques psychologiques brèves et semées çà et là.

Prévost a divisé son œuvre en deux parties de longueur égale, - par souci de vraisemblance, semble-t-il, - pour donner à son narrateur le temps de reprendre haleine. Il est possible de démonter chaque récit en épisodes, la plupart lestement contés en quelques pages.

PREMIÈRE PARTIE (p. 29 à 139)

- *Court prologue* en deux temps :

Six mois avant son départ pour l'Espagne, l'auteur (l'Homme de qualité des *Mémoires*) rencontre à Pacy-sur-Eure un convoi de filles, condamnées à la déportation en Louisiane. L'une d'elles, Manon, l'intrigue par sa beauté et sa distinction. Enquête : un archer de l'escorte l'invite à questionner un jeune

1. Les pages mentionnées renvoient à l'édition du Livre de poche.

homme qui se tient à l'écart, abîmé dans la douleur. Le malheureux refuse de livrer son secret, qui est aussi celui de la captive, mais avoue qu'il ressent pour elle « une passion si violente qu'elle (le) rend le plus infortuné de tous les hommes », et qu'il a l'intention de la suivre en Amérique. Touché par sa bonne grâce et par « la modestie » de sa bien aimée, le narrateur lui ouvre sa bourse (p. 19 à 25).
Deux ans après : un hasard le remet à Calais en présence de l'inconnu qui lui paraît « en fort mauvais équipage ». Reconnaissance, embrassades, effusions... Le soir, au Lion d'Or, le mystérieux jeune homme raconte ses amours orageuses et tragiques avec Manon (p. 25-26).

• *1er épisode* : une jeune fille ravissante et ravie.

A dix-sept ans, jeune homme rangé, d'excellente famille, élève exemplaire au collège d'Amiens et futur chevalier de Malte, Des Grieux a devant lui un avenir banal et paisible. Il subit l'heureuse influence d'un ami plus âgé, modèle de toutes les vertus, Tiberge, qui se destine à l'état ecclésiastique. Sa philosophie brillamment terminée, au moment de partir en vacances, il aperçoit au relais de poste une jeune fille dont la beauté l'ensorcelle. C'est Mlle Manon Lescaut que ses parents envoient au couvent afin de la rendre sage. Marivaudage. La passion transforme aussitôt le timide écolier qui déclare son amour, propose l'enlèvement. Ses avances sont agréées. Malgré les remontrances du sage Tiberge, Des Grieux, rompant avec ses principes, sa famille, ses espérances, gagne Saint-Denis avec la belle, et devient son amant (p. 27 à 35).

• *2e épisode* : première trahison

A Paris, dans un appartement meublé de la rue (Vivienne), les jouvenceaux filent le parfait amour, pendant trois semaines. Le jeune homme propose le mariage à Manon qui refuse « froidement. » Premier nuage, premiers soupçons : Manon le trompe avec un voisin, M. de B., fermier général âgé et riche. Un soir, pendant le dîner, Manon éclate en sanglots et s'esquive; Des Grieux est enlevé par les laquais de son père et refait, bien tristement, le voyage d'Amiens. Son père le sermonne, le raille de sa crédulité et, craignant la violence de ses réactions, le séquestre (p. 35 à 47).

• *3e épisode* : Des Grieux vient à résipiscence

Le reclus fait la grève de la faim. Finalement, touché par la bonté de son père et cédant aux objurgations de Tiberge, l'enfant prodigue retrouve la voie de la vertu. A la nouvelle que Manon vit à Paris, richement entretenue par son vieil amant, il décide de renoncer au monde puis entre avec Tiberge au séminaire de Saint-Sulpice. Ses études lui procurent l'apaisement, lui valent la notoriété. Las! Un exercice public, brillamment soutenu en Sorbonne, le remet en présence de Manon. « Ses charmes surpassaient tout ce qu'on peut décrire. » Envoûté, le chevalier pardonne, quitte le séminaire, la soutane, reprend les galons et l'épée. Les deux amants, plus que jamais épris l'un de l'autre, s'installent au village de Chaillot (p. 47 à 56).

• *4e épisode* : premier séjour à Chaillot

Grâce à l'argent soutiré à M. de B., le couple mène joyeuse vie. Mais un frère de Manon, un garde du corps « brutal et sans principes d'honneur », découvre les amoureux et devient leur intime. Joueur et débauché, il vit à leurs dépens, achevant de gaspiller leurs ressources (p. 62 à 66).

• *5e épisode* : Des Grieux, joueur et tricheur

Un incendie achève de les ruiner. Lescaut propose à Des Grieux : 1° d'exploiter les charmes de Manon; 2° de tricher au jeu. Refus indigné du jeune homme. Pourtant, redoutant une nouvelle infidélité, il a recours à la générosité de Tiberge. Longue entrevue dans le jardin du Palais Royal : le chevalier subit un sermon, accepte cent pistoles. Courte parenthèse pour définir le « caractère extraordinaire » de Manon. Elle aime sincèrement son ami, n'attache aucun prix aux richesses; mais avide de plaisirs, dépensant sans compter, elle ne peut s'accommoder d'un train de vie médiocre. La crainte d'être abandonné précipite la déchéance du jeune homme qui, parrainé par Lescaut, est admis dans « la Ligue de l'Industrie ». En peu de temps, devenu un tricheur habile, il rétablit l'état de ses finances. Son bon ange, Tiberge, multiplie en vain remontrances et avertissements (p. 66 à 81).

• *6e épisode :* le barbon bafoué

Épisode vaudevillesque en trois temps :

- Le couple est dépouillé par deux serviteurs. Vol par effraction. Manon se désespère : « Nous sommes perdus ! » Alors elle agrée les hommages lucratifs d' « un vieux voluptueux », M. de G. M. Loyalement elle met Des Grieux au courant de son infidélité : « Je travaille pour rendre mon chevalier riche et heureux. » Tempête sous un crâne, fureur contre Lescaut qui lui propose de berner et d'escroquer le barbon (p.81 à 92).

- Scène de vaudeville jouée à quatre personnages : le barbon, la fille galante, le frère, l'amant de cœur qui tient le rôle d'un frère cadet, « enfant fort neuf ». Tout au long du repas le trio s'amuse à moquer la dupe par des propos à double sens. On lui soutire bijoux et « beaux louis d'or ». Puis, tandis que le vieux beau se morfond dans sa chambre, les compères s'éclipsent (p. 92 à 94).

- Police, double arrestation, Manon est enfermée à l'Hôpital (la Salpêtrière), son amant à Saint-Lazare. Spéculant sur la crédule bonté du Supérieur, Des Grieux espère obtenir une prompte libération en jouant « un personnage d'hypocrite ». Effectivement, M. de G. M., sollicité, se laisse attendrir, rend visite au captif, lui donne de paternels conseils. Une malencontreuse allusion à l'emprisonnement de Manon provoque un accès de rage chez Des Grieux qui moleste le vieillard, perdant ainsi toute chance d'échapper à la prison (p. 94 à 105).

• *7e épisode :* les deux amants hors la loi

Trois événements dramatiques :

- l'évasion de Des Grieux. Le prisonnier machine un plan d'évasion dont Tiberge est le complice inconscient. Par l'intermédiaire du prêtre, le prisonnier renoue avec Lescaut qui lui procure un pistolet. Par la menace, il contraint le Supérieur à lui ouvrir les portes de Saint-Lazare et abat un portier qui s'opposait à sa fuite (p. 105 à 116);

- l'évasion de Manon, préparée par le chevalier. Malgré les périls qui le menacent, il réussit à s'introduire dans l'Hôpital, par l'intermédiaire de M. de T., fils d'un administrateur, et revoit Manon. « Nous pleurâmes amèrement. » Un valet de la prison, soudoyé, fait sortir Manon, déguisée en homme (p. 117 à 128);

- sur ce, Lescaut est tué dans la rue, par un autre garde qu'il a ruiné au jeu. Délivrés de ce parent encombrant, les amoureux retournent à Chaillot et se terrent. Tiberge, une nouvelle fois, les aide de sa bourse et de ses conseils. Le scandale est étouffé. Des Grieux, mûri par l'épreuve, bat sa coulpe, veut reprendre le cours de ses études. L'horizon s'éclaire pour le couple fatal (p. 128 à 139).

Ici, le narrateur interrompt sa longue confession, le temps de souper.

DEUXIÈME PARTIE (p. 141 à 240)

- *8e épisode* : les amoureux de Chaillot

Les deux amants s'installent dans une hôtellerie du village; Des Grieux, oubliant vite ses vertueuses résolutions, se remet à jouer, c'est-à-dire à tricher. Manon lui reste fidèle et s'amuse à berner un seigneur étranger qui la courtise. Le couple semble avoir enfin trouvé la paix (p. 141 à 150).

- *9e épisode*, le plus romanesque de tous : une étrange vengeance

Un hasard malheureux fait descendre à l'hôtellerie le fils de leur ennemi M. de G. M. dont M. de T. est l'ami. Présentation. Le nouveau venu, fort galant homme, est admis dans la communauté. Il s'éprend de Manon, lui promet hôtel, rentes, carrosse, laquais... Manon imagine un stratagème afin de lui escroquer une forte somme, sans trahir son ami. Elle accorde un rendez-vous au soupirant; Des Grieux attend au café Féré, près du pont Saint-Michel. L'inconsciente Manon lui envoie une courtisane pour le distraire. Tant de cynisme révolte le chevalier qui décide de se venger. Avec la complicité de M. de T., il fait enlever le jeune G. M., s'introduit dans son hôtel, fait à l'infidèle une scène de jalousie qui se termine par de tendres effusions. Manon lui fait savourer sa vengeance : « Vous aurez son couvert à souper (...), vous coucherez dans ses draps, et demain, de grand matin, vous enlèverez sa maîtresse et son argent. Vous serez bien vengé du père et du fils. » (p. 150 -181).

• *10e épisode :* nouvelles catastrophes

Mais un laquais de M. de G. M. a donné l'alarme. Le père alerte le guet, surprend les deux coupables dans le lit de son fils. Pour la deuxième fois, Manon et son amant sont incarcérés. Au Châtelet, Des Grieux reçoit la visite de son père qui pardonne, mais obtient la déportation de Manon au Mississipi. Libéré, le chevalier apprend l'affreuse nouvelle. Après de vaines démarches, il décide de recourir à la force et d'enlever sa maîtresse aux archers qui la conduisent au Havre de Grâce. Mais les braves qu'il a recrutés désertent au moment d'agir. Désespéré, Des Grieux entre en composition avec le guet, obtient, moyennant finance, la permission d'entretenir Manon. Quand il rencontre à Pacy l'Homme de qualité, sa bourse est vide et il est séparé de sa bien-aimée (p. 181 à 216).

• *11e épisode :* à la Nouvelle-Orléans

Il s'embarque comme volontaire à bord du vaisseau qui emporte Manon outre-Atlantique. Avant son départ, il écrit à Tiberge, sollicite un secours. Le couple, qui se prétend légitime, s'organise une vie médiocre, mais paisible dans la colonie. La bienveillance du gouverneur adoucit leur exil. Assagis, les deux aventuriers décident de se marier (p. 216 à 226).

• *12e épisode :* la mort de Manon
et le retour du chevalier

Ce louable projet entraîne leur ruine : le neveu du gouverneur, Synnelet, aime Manon. Apprenant qu'elle est libre, il l'obtient de son oncle, se bat en duel avec son rival qui le blesse grièvement. Alors les deux amants s'enfuient au désert où Manon meurt d'épuisement. Des Grieux l'ensevelit, se couche sur sa tombe pour mourir.

Le reste de l'histoire est sommairement narré, comme si la mort de l'héroïne enlevait tout intérêt au récit. Retrouvé et ramené à la Nouvelle-Orléans, le chevalier est disculpé de l'accusation de meurtre. Il traîne une existence lamentable jusqu'au jour où débarque Tiberge, le sauveur, parti à sa recherche. Désormais, Des Grieux se reconvertit au bien pour toujours. De retour en France, il apprend la mort de son père, miné par le chagrin. Le récit s'arrête, au moment où l'infortuné Des Grieux va retrouver et les siens et le chemin de la vertu.

4 Signification de « Manon Lescaut »

Un « Avis de l'auteur des Mémoires d'un Homme de qualité » précède le récit. Prévost y précise ses intentions : il a décidé de publier séparément *Les aventures du chevalier Des Grieux* (notre *Manon Lescaut*) qui, à l'origine, constituaient le tome VII des *Mémoires*. Cet épisode, par son ampleur, aurait, affirme-t-il, rompu le fil de l'intrigue. D'autre part, l'ouvrage lui paraît propre à donner un enseignement moral : les malheurs du chevalier et de sa belle proposent « un exemple terrible de la force des passions. » Ainsi, ce roman est investi d'une double mission : plaire, en narrant « des aventures de fortune et d'amour », - instruire surtout, en dénonçant les dangers de la passion et d'une existence menée en marge de la société.

LES PERSONNAGES

Dans le Paris du luxe et de la luxure, Prévost conte l'histoire d'un couple d'adolescents naïvement pervers, unis par une passion intense et pathétique. Les modèles de Des Grieux et de Manon, l'auteur les emprunte à ses *Mémoires* qui présentent déjà des amoureux marqués par le destin : le vieux marquis de M. et Sélima, Rosemont et Diana, Brissant et son amante... Mais ces personnages sont entraînés par le démon Amour dans des aventures si enchevêtrées qu'ils semblent écrasés sous le poids des péripéties. Au contraire, dans notre roman, l'intrigue, simple et sobre, permet aux protagonistes de se révéler. Les événements retrouvent leur véritable rôle : ils sont autant d'épreuves qui éclairent les âmes et déterminent l'évolution des caractères.

• *Des Grieux*

Le narrateur est le personnage central, beaucoup plus que Manon. Non seulement il est toujours en scène et lutte contre un destin que son amante se contente de subir, mais il donne à l'œuvre sa tonalité et son sens. Pas plus que la jeune fille, il n'est décrit. Aucun renseignement précis sur son visage, sa démarche, son aspect extérieur. Il apparaît comme une créature un peu allégorique. Au début, « vivante image de la douleur », continuellement possédé par la passion, il incarne à la fois la souffrance et l'amour. Nous apprenons qu'il a « une mise modeste », qu'il répond « honnêtement »; c'est « un homme qui a de la naissance et de l'éducation ». Par la suite, quelques renseignements le présentent paré de multiples charmes. Il a beau être « en fort mauvais équipage », l'auteur, à Calais, remarque sa « physionomie trop belle pour n'être pas reconnue facilement ». Manon aime coiffer ses beaux cheveux et M. de G. M. même est sensible à sa grâce. Qu'importe qu'il soit originaire de P(éronne), qu'il appartienne à la petite noblesse de province, que son père et son frère aîné, sympathiques par ailleurs, soient des hommes à principes! L'essentiel, c'est qu'il est un spectaculaire exemple des ravages que l'amour peut exercer sur une âme sensible.

Son cas serait banal, si sa passion n'avait pas les plus funestes conséquences. Dans sa famille, au collège, une éducation austère étouffa son tempérament sensuel, exalté. Élève modèle, il n'a « aucune peine » à pratiquer la vertu. « J'ai l'humeur naturellement douce et tranquille. » Il réussit brillamment à ses examens, reçoit les félicitations de l'évêque, se destine à la prêtrise. Après sa première fugue, en un temps où le charme de Manon n'a pas encore submergé sa raison, il retrouve, au séminaire de Saint-Sulpice, sans trop de peine, le climat innocent et scolaire de ses jeunes années. Et tous de vanter la « sagesse et la retenue » de sa conduite.

L'influence de Manon va changer sa personnalité ou plutôt le révéler à lui-même. Dès la première rencontre, il est fasciné, « excessivement timide et facile à déconcerter »; il fait la cour à une inconnue, l'enlève, rompant ainsi avec son passé, sa famille, l'être qu'il fut, se résignant à subir « l'ascendant » de sa destinée. Un seul sentiment existe désormais en lui, l'amour, qui lui réserve de courtes joies et de longues douleurs. Passion innocente qui sera pour lui source de désordres et de misères. D'un naturel à la fois tendre et impulsif, une fois brisé le carcan des convenances, il ne vit plus que pour et par sa passion. La beauté de Manon, les plaisirs encore ignorés qu'elle lui fait connaître, favorisent, à un degré incroyable, l'épanouissement de sa sensualité. Il réagit par la violence et les larmes, quand son désir est contrarié, - par l'hypocrisie (il joue la comédie à Tiberge, à son père, au directeur de la prison, à lui-même si un scrupule de conscience le gêne). Une force qu'il ne contrôle pas l'anime,[1] son propre comportement l'effraie. Car, enthousiaste et versatile comme les passionnés, doué d'une imagination trop vive, il se méfie d'un présent où son bonheur est sans cesse menacé, rêve d'une existence toute neuve, avec Manon, loin de ce qui lui rappelle sa déchéance. Est-ce un hasard s'il s'accommode si bien de l'exil dans le Nouveau Monde ?

Envoûté, mais lucide, il se rend parfaitement compte des périls que lui fait courir son amour. Il a conscience des turpitudes qu'il accepte de commettre et juge ses actes à leur juste valeur. « Quoiqu'à mes propres yeux, cette action fût une véritable friponnerie, ce n'était pas la plus injuste que je crusse avoir à me reprocher [2]. » Quand il discute avec Tiberge, il se montre un dialecticien redoutable pour justifier la qualité du plaisir amoureux. Le sens moral n'est pas mort en lui : « La passion dominante de mon âme était la honte et la confusion [3]. » Il sait qu'il joue « un personnage d'hypocrite [4] », n'espère plus que dans le « résultat de son hypocrisie [5] ». Son esprit logique aime manier les idées, et avant de prendre une initiative, soupèse le pour et le contre. Il prépare minutieusement son évasion de Saint-Lazare, choisit le moins immoral des trois projets que lui propose Lescaut. Quand il est dans l'embarras, loin de s'affoler, il délibère. « J'entrai dans une mer de raisonnements et de réflexions qui se réduisirent peu à peu à trois principaux articles [6]. » Avec cela, il garde la nostalgie de l'honorabilité, consent, en Amérique, « à s'appliquer à quelque chose d'honnête et de raisonnable », accepte un emploi subalterne dans le fort de la Nouvelle-Orléans.

1. P. 55.
2. P. 94.
3. P. 97.
4. P. 99.
5. P. 99.
6. P. 132.

Aussi se rend-il compte que sa passion le dégrade, essaie-t-il de réagir. Mais avec l'accoutumance, sa conscience s'émousse, il devient moins sensible. « Mon père est âgé, il peut mourir [1]. » Tenté par le proxénétisme et le vagabondage spécial, il finit par escroquer M. de G. M., puis son fils [2]. Sa chute va en s'accélérant : il trahit l'amitié, manque au respect filial, viole les convenances, enfreint la loi, l'honneur, le respect de soi-même. Et pourtant, il ne se reconnaît pas coupable. L'amour est une excuse complaisante, aussi bien que la fatalité. C'est qu'il se croit un personnage hors série, unique, fait pour aimer et pour souffrir.

• *Manon*

Cette fatalité est incarnée par Manon. Figure de rêve, d'une beauté idéale, elle n'est pas plus décrite que Des Grieux. Toute précision ne ferait qu'enlever du mystère à son charme. « Modeste et charmante », elle a un air, une figure qui inspirent le respect. C'est une plébéienne, certes (elle voyage en diligence, en petit équipage, son frère est un simple soldat), mais qui donne l'impression d'un bibelot délicat, fragile, sophistiqué, et par moments d'une grande dame, - jamais d'une femme fatale. Son rayonnement est tel qu'elle envoûte tous ceux qu'elle approche. Deux sentiments l'animent : un amour sincère pour son chevalier, d'abord. Simple caprice au début pour un joli garçon (elle l'abandonne et le trompe avec M. de B., mais les larmes aux yeux), elle lui voue une affection sincère quand elle le retrouve : « Je prétends mourir... si vous ne me rendez pas votre cœur sans lequel il est impossible que je vive. » Cet attachement, bien que sensuel, est fondé sur l'estime et la reconnaissance : elle sait mesurer le sacrifice qu'elle exige de son amant. Lorsqu'il est accusé de meurtre et doit fuir au désert, elle préfère une existence misérable à un mariage avantageux.

Et pourtant, à trois reprises, elle le trahit, sciemment, sans craindre de le faire souffrir. C'est qu'elle est coquette, avide d'argent et de plaisirs. Elle vivrait éternellement et fidèlement aux côtés de son chevalier s'il pouvait satisfaire son goût pour le luxe et la vie mondaine. Mais la pauvreté

1. P. 63. 2. P. 86, 178.

lui est intolérable. Aussi apparaît-elle inquiétante, et cela dès le début. Avec quelle assurance elle accepte les hommages d'un étranger! Elle avoue qu'elle n'ignore pas l'amour et, malgré son âge tendre, possède une redoutable connaissance de la psychologie masculine. « Elle savait bien qu'on n'est pas trompeur à mon âge [1]. » Vite elle montre une rouerie peu commune. « Étrange fille! » s'écrie Des Grieux, qui la traite de « charmante et perfide créature [2] ». Créature à deux visages, elle est tantôt indifférente et cynique, tantôt affectueuse et douce. Il lui arrive de railler Des Grieux pour sa simplicité. Mais séparée de son amour, elle pleure, multiplie les protestations enflammées quand ils se retrouvent, supporte avec courage la prison et l'exil.

En réalité, elle est moins immorale qu'amorale [3]. Ses pires actions, elle les accomplit avec ingénuité, sans songer à mal. Il suffit de voir son étonnement lorsque son chevalier lui reproche certaine initiative inattendue : elle lui envoie une fille à sa place. Si elle pèche, elle « pèche sans malice ». Et Des Grieux finit par porter sur elle un jugement net comme un diagnostic : « Elle est légère et imprudente, mais elle est droite et sincère. »

- *Tiberge*

Pour contrebalancer le charme pernicieux de la pécheresse, Prévost a imaginé Tiberge. « Un ami avec lequel j'avais été tendrement uni », dit le narrateur. Affection si forte qu'elle survit au mensonge, à la trahison. Tiberge, personnage austère, incarne la conscience, le devoir, la piété. Mais il a une telle largeur d'esprit, il témoigne au coupable un dévouement tel qu'il apparaît comme le seul personnage intégralement sympathique. Chaque fois que Des Grieux s'est placé dans un mauvais cas, il survient, grave, sermonneur, mais tout prêt à l'aider de sa bourse et de son crédit. Il n'hésite pas à s'embarquer pour l'Amérique, à courir les aventures afin de le sauver. Bien qu'il soit éclipsé par le couple fatal, sa présence est assez forte pour introduire un élément de stabilité dans cette extravagante histoire. Et pourtant, Tiberge est un être

1. P. 30. 2. P. 56. 3. L. Cellier, Manon et le mythe de la femme. *L'Information littéraire*, janv. 1953.

déchiré. Il est tiraillé entre son amitié et ses principes : son dévouement n'est pas aveugle, il veut sauver le chevalier, en le préservant de Manon. Aussi évite-t-il toute initiative qui serait un encouragement à la débauche. A force de subtilité, il arrive à concilier sa foi religieuse et les devoirs équivoques exigés de lui par l'amitié.

Manon le mauvais ange, Tiberge l'ange gardien... Longtemps, Des Grieux n'hésite pas : il choisit la femme qui représente pour lui le bonheur et il utilise l'ami pour le service unique de sa passion.

LA SOCIÉTÉ ET LES MŒURS

• *Précision du cadre*

Des Grieux et Manon sont contemporains de l'auteur qui les fait vivre dans un cadre déterminé. Car, si leurs aventures débutent au relais d'Amiens et se terminent tragiquement en Louisiane, elles se déroulent presque entièrement à Paris. Soucieux de vraisemblance, Prévost situe toujours avec soin chaque épisode. Cette localisation justifie l'événement et lui donne sa couleur - (le voisinage avec M. de B. explique la première infidélité de Manon; de même, l'allusion à l'hôtel de Transylvanie permet de mesurer la déchéance du chevalier) - ; de plus, l'auteur esquisse un décor précis, sans pittoresque ni profondeur, il est vrai. Qu'importe! il laisse à l'imagination le soin de se représenter le cadre et les figurants.

Le Paris de la Régence [1] revit devant nous. On se donne rendez-vous au Palais Royal [2], dans le jardin des Tuileries, au Luxembourg [3]. Le héros a fait ses études au séminaire de Saint-Sulpice, il soutient « un exercice public » en Sorbonne, attend en vain sa bien-aimée au café Féré, rue Saint-André-des-Arts [4], près du pont Saint-Michel. Désespéré, il s'assied sur l'herbe, au Cours la Reine, nous rappelant

1. La Régence : gouvernement de Philippe d'Orléans pendant la minorité de Louis XV (1715-1723). 2. P. 73. 3. P. 134, 203. 4. P. 199.

qu'à cette date, Paris ne dépassait pas encore la place Louis XV [1]. De menus détails restituent la vie quotidienne : il faut deux jours pour aller de Paris à Péronne [2]; cent cinquante écus [3] permettent de vivre un mois dans un appartement meublé, avec une petite servante [4]. On circule en carrosse, si l'on a la bourse pleine, en fiacre, quand on est démuni. Ces voitures de louage tiennent un rôle important dans cette vie romanesque : elles servent aux rencontres galantes, aux enlèvements, aux fuites... Les questions financières préoccupent tous ces gens-là, même fortunés. Tout se monnaye, le silence d'un palefrenier, la complicité d'un concierge de prison, les charmes d'une belle. Veut-on se procurer de l'argent? nul n'est scrupuleux sur le choix des moyens. Le plus honnête consiste à donner son billet. Il est des fripiers complaisants pour fournir « les galons et l'épée [5] » à un séminariste en rupture de ban. Cette société semble vivre au jour le jour, de petits méfaits et de grandes infamies. Ce qui n'empêche pas les personnes bien élevées de s'aborder avec un cérémonial hérité du grand siècle.

• *Galanteries et finances*

Un libertin et une fille ne peuvent être en relations qu'avec deux catégories sociales : les viveurs, qui entretiennent Manon, les aigrefins, complices de son amant. A l'arrière-plan se profile le monde morose de la répression judiciaire. Manon fait la conquête de quatre galants, riches et dépravés : deux vieillards, un homme mûr, un jeune homme. M. de B., « célèbre fermier général [6] », habite rue (Vivienne); il croit en la toute puissance de sa fortune : « Il avait fait sa déclaration en fermier-général : le paiement serait proportionné aux faveurs. » Homme dur, peu scrupuleux sur le choix des moyens, il cache ses intentions sous des dehors hypocrites. M. de G. M. - deux apparitions - est plus odieux encore. « Vieux voluptueux », il joue le rôle du barbon dupé, rossé, pourvoyeur de cachots. Pourtant le narrateur lui reconnaît

1. La future place de la Concorde. 2. Péronne est à 120 km de Paris.
3. Un écu vaut 3 livres, soit environ 15 F actuels. 4. P. 36. 5. 61. 6. P. 36. Sous l'Ancien Régime, un fermier-général était un financier qui recevait le droit de percevoir les impôts à ferme, c'est-à-dire moyennant une rente ou un loyer versé au roi.

« un air plus grave et moins sot [1] », de l'énergie, quand il apprend l'enlèvement de son fils. Glissons sur l'apparition furtive d'un soi-disant prince italien, « un homme fort bien mis et de mauvaise mine », berné par Manon. En fille avertie, elle a décelé l'aventurier sous le pourpoint du gentilhomme. Quant au jeune G. M., est-il si différent de M. de T., ou même du héros ? Aimable et sympathique, le galant comblé - il a quarante mille livres de rentes - est généreux avec ses maîtresses, quitte à les renvoyer ou à les rappeler, selon son caprice. « Plus fin que son père », il incarne le personnage du jeune oisif, uniquement préoccupé d'aventures amoureuses.

Ce monde de fêtards a ses rites : avant de conquérir le cœur des belles, il faut accomplir un certain nombre de démarches. Un billet furtivement glissé renferme une déclaration mêlée de promesses, elles aussi rituelles, un présent se montant à deux cents pistoles [2], une rente de quatre cents livres [3] par mois pour le petit frère, une maison commode, un collier de perles, tel est le prix auquel M. de G. M. évalue les faveurs de Manon qui accepte. Les engagements du fils ont la rigueur d'un contrat : un carrosse, un hôtel meublé, une femme de chambre, trois laquais, un cuisinier, dix mille livres... Quelques indications renseignent sur les occupations des dames galantes. Manon roule carrosse, porte « une parure éclatante », va à la Comédie Française [4]. Son domestique comprend cocher, laquais, soubrettes [5]. Dès l'arrivée à Chaillot, le chevalier propose à sa bien-aimée un programme : deux fois à l'Opéra par semaine, une maison de campagne en banlieue, un appartement meublé à Paris, le jeu quotidien dans « les assemblées », comprenons dans les cercles. Le grand monde vit d'une manière analogue, si l'on en croit les excuses que Des Grieux donne à son père [6].

• *Un monde de vice et de violence*

Car les gens de qualité ont d'étranges relations avec ces milieux interlopes de tricheurs, de spadassins, de prostituées que fréquente le narrateur. Non seulement M. de T. dont

1. 100. 2. Une pistole valait 10 livres, soit environ 50 F actuels. 3. Une livre correspond à peu près à 5 F actuels. 4. P. 52. 5. P. 63. 6. P. 195.

le père administre la Salpêtrière, organise un enlèvement et suggère d'attaquer les gendarmes, mais il existe des « Académies » fréquentées par truands et gentilshommes, dont les membres ont leur code, leur hiérarchie, presque leurs écoles. Pour y être admis, Des Grieux doit être parrainé par Lescaut.

Le frère de Manon est l'un de ces dévoyés. « C'était un homme brutal et sans principes d'honneur. » Ce pittoresque gredin qui porte l'habit bleu, les culottes et les bas rouges des gardes françaises, a des qualités : il est intelligent, beau parleur et possède des talents de comédien. Avec quelle vertueuse indignation il flétrit les désordres de sa petite sœur, quitte à la pousser dans les bras d'un vieillard riche, à conseiller « impudemment » au héros de « se mettre en liaison avec quelque dame vieille et libérale [1]! » Il s'est fait de la vie sociale une conception cynique. Lâche devant le danger, mais brutal avec les faibles [2], cupide et fataliste [3], il réussit longtemps, mêlant effronterie et prudence, à mener sa double vie de soldat fripon; mais un jour, sa bonne étoile l'abandonne.

Curieuse époque où les gardes, moyennant dix pistoles, se transforment en « braves », où l'on s'enlève et se tue en plein jour, où les archers acceptent, pour quelques louis [4], la compagnie de leur agresseur, où les geôliers organisent l'évasion de leur captive. Dans ce singulier roman passionnel, à chaque instant interviennent les gens de justice, M. le Lieutenant de police, homme grave et désabusé, M. le Grand Prévot de Paris, qui se déclare impuissant à retrouver les deux serviteurs indélicats, les exempts, les filles enchaînées par le milieu du corps, les lettres de cachet, les sévices... [5] Les deux héros font de longs séjours en geôle, ce qui nous vaut de connaître la prison Saint-Lazare [6], près du village des Porcherons, avec son Père supérieur onctueux et humain, ses escaliers clos par des portes épaisses [7], son suisse porte-clés abattu froidement s'il vous barre le chemin de la liberté, l'Hôpital (ou Salpêtrière), « une maison d'horreur [8] », cependant clémente pour Manon : prisonnière sans doute privilégiée, elle dispose d'une chambre particulière, d'un valet,

1. P. 70. 2. P. 128. 3. P. 87. 4. Un louis valait 24 livres, soit environ 120 F actuels. 5. P. 96. 6. Prison où l'on enfermait les jeunes débauchés. Elle était construite sur l'emplacement actuel de la Gare Saint-Lazare. 7. P. 113. 8. Cf. M. Henry, *La Salpêtrière sous l'Ancien Régime* Paris, 1922 et A. Légier-Desgranges : la légende de Manon Lescaut à La Salpêtrière, dans *Médecine de France*, 1958, nº 96, p. 37 à 48.

et n'est astreinte qu'à des travaux de couture, - le Petit Châtelet, à l'entrée du Pont-Neuf, dont le concierge est vénal.

Ne cherchons pas des peintures chargées de couleur. Le réalisme de Prévost est toujours en demi-teinte. Ce monde du vice, de la brutalité, de la contrainte, il le représente avec des touches légères, comme furtivement : le lecteur n'a guère le temps de ressentir l'horreur ou l'indignité de telle ou telle scène. Déjà, son attention est distraite par une autre confidence : le romancier, dirait-on, l'entraîne à toute allure sur les traces du chevalier, et le décor, à peine indiqué, s'efface [1].

• *Dénouement sous les Tropiques*

Sacrifice à la mode naissante de l'exotisme? L'intrigue se dénoue en Louisiane. Aucune description de la nature tropicale, peu de renseignements exacts sur les premiers établissements français en Amérique. Nous entrevoyons « une région inculte et habitée par des sauvages [2] », un village de cabanes au flanc d'une colline, près de la mer, le fort où Des Grieux trouve un petit emploi, la maison du gouverneur, moins misérable que les autres, la hutte faite de boue et de planches, ses deux ou trois chambres de plain-pied, un grenier, quelques chaises, qui abritera le bonheur des amants, un désert de sable. Si les bannis s'imposent une organisation hiérarchique, imitée de la métropole, ils pratiquent la loi de la jungle, se partagent les filles, se les disputent, l'épée à la main; l'arrivée d'un vaisseau est considérée comme une fête, accueillie par des salves d'artillerie et un grand concours de gens en délire. Seuls les noms : Mississipi, la Nouvelle-Orléans donnent, à ces indications rapides et parfois erronées, un parfum tropical.

Ainsi, la toile de fond est tissée de fils menus, mais visibles. Pour un artiste classique, le monde extérieur n'existe que dans la mesure où il permet aux sentiments de se révéler : que Prévost désire donner à son histoire plus de vérité, en la rehaussant de traits de mœurs et de précisions géographiques, c'est probable. Mais il se garde bien de distraire l'attention, en peignant un milieu trop évocateur. Le lecteur doit garder toute sa clairvoyance s'il veut s'intéresser à l'essentiel : à l'étude des âmes.

1. G. Poulet : *Études sur le Temps humain*. Plon, p. 146-157. 2. P. 214.

LA PASSION AMOUREUSE

« Roman de charme », selon Pierre Mac Orlan. Son prestige est dû avant tout à la peinture de la passion anormale, excessive, invincible qui unit Des Grieux et Manon. « Un amour de cette vigueur tient agréablement lieu du fatras conventionnel qui encombre bien des ouvrages du père Prévost », affirme M. Etiemble. Manon incarnerait l'amour tragique? Nullement. L'élu et le maudit de la passion, c'est Des Grieux. Son amante, certes, l'aime à sa manière, ce beau chevalier, « le seul qui puisse lui faire goûter parfaitement les douceurs de l'amour ». Mais elle le trompe et le quitte, dès que leurs ressources s'amoindrissent. Affolée de plaisir, coquette et versatile, c'est la demi-mondaine de l'époque Régence.

Au contraire, dès la rencontre, une passion impétueuse envahit le jeune homme. La phase de cristallisation est rapide : il s'intéresse à l'étrangère, goûte sa présence, se trouble. Alors, l'amour éclate en lui, comme la foudre : « Je me trouvai enflammé d'un coup jusqu'au transport. » Aussitôt sa personnalité se transforme : il était timide, naïf, de tempérament paisible; le voilà « éclairé », éloquent, persuasif, rusé. Sans réfléchir aux conséquences de son acte, il rompt avec sa famille, son passé, ses principes. Adolescent ardent, novice, donc vulnérable, il va vivre plusieurs années, jusqu'à l'heure où il ensevelira le corps de Manon, dans une sorte d'état second, tant son corps, ses facultés sont ravagés par l'amour.

• *Amour fou ou vaudeville?*

A chaque réconciliation, Manon est « flattée », sincèrement heureuse, mais son émoi reste discret. Des Grieux, lui, sent « une douce chaleur » qui « se répand dans ses veines ». Il a les « genoux tremblants ». Tel un personnage de Racine, il reste muet, submergé par le plaisir au point d'être étranglé d'angoisse. Il frémit « comme il arrive lorsqu'on se trouve la nuit dans une campagne écartée : on se croit transporté dans un nouvel ordre de choses; on y est saisi d'une horreur secrète ». Pire encore : la fureur d'aimer bannit la raison, étouffe le sens moral. Elle enseigne la dissimulation, le mensonge, l'égoïsme, le mépris de tout ce qui contrarie son assouvissement. Au début, les deux héros sont des adolescents étourdis, désireux seulement « d'être l'un à l'autre ». Ils n'envisagent pas les conséquences de leur fugue. Ils oublient, dans leurs transports, la présence du cocher, de l'aubergiste. La passion est donc un instinct érotique, qui fascine Des Grieux, lui tient lieu de gloire, de fortune, de considération. « Qu'ai-je à mettre en balance avec elle? » dit-il en parlant de Manon. Aussi finit-il par pécher contre l'esprit en imaginant, à chaque infidélité de sa belle, une explication dont il n'est pas dupe : il se félicite d'être aimé « d'une fille que tout le monde trouve aimable ». Le voilà réduit au rang de personnage de vaudeville. Lui arrive-t-il, sous le coup de la douleur, d'appeler l'infidèle coquine, perverse! Vite, il s'excuse, et même il s'étonne d'avoir traité « de honteuse une tendresse si juste pour un objet si charmant ». Manon est une idole dont il défend les intérêts avec rage. Chaque fois qu'on offense sa divinité, il perd la tête : il parle d'incendier la maison de G. M, son rival d'un moment; pour la venger de sa déportation, il envisage de tuer son père, les deux G. M., le lieutenant général de police, - il attaque les archers. A Saint-Lazare, il saute à la gorge de son ennemi, qui se vante d'avoir fait incarcérer Manon.

La passion isole donc le héros de la société; il brave pour elle lois et principes. Pour elle, il triche, il vole, il tue, il s'avilit. Par jalousie, il devient misogyne. Sa maîtresse lui envoie une fille afin de le distraire. Il dit : « Ah! tu es femme. Tu es d'un sexe que je déteste. » Ses larmes, ses cris, les manifestations de son désespoir effarent les Pères de la prison, les sbires de l'escorte. « Tout le monde me persécute ou me trahit... Adieu, je vais aider mon mauvais sort à consommer ma ruine. »

- *Puissance de la fatalité*

Cette passion, source de délices, mais aussi de déshonneur et de misère, Prévost se refuse à la condamner; car elle échappe à la volonté humaine. « S'il est vrai que les secours célestes sont... d'une force égale à celle des passions, qu'on m'explique donc par quel funeste ascendant on se trouve tout à coup loin de son devoir, sans se trouver capable de la moindre résistance et sans ressentir le moindre remords [1]. »

1. *Mémoires*, V, I, p. 114.

Bénédictin tenté par le jansénisme, il pense que l'homme est faible, qu'il ne peut rien contre les surprises des sens. Le destin les lui impose. Manon revoit Des Grieux à Saint-Sulpice : son amant n'hésite pas à la suivre, il est sans ressort, sans illusion : « Je vais perdre ma fortune et ma réputation pour toi, je le prévois bien. Je lis ma destinée dans tes beaux yeux, mais de quelle perte ne serais-je pas consolé par ton amour ? » Fatalité surnaturelle, inspirant l'amour à ceux qu'elle a élus ? Prévost semble croire parfois à une sorte de prédestination : certains êtres, trop sensibles, sont nés pour aimer. Ni la raison, ni l'estime n'interviennent dans leur choix. Les passions, il est « aussi impossible à la vertu de s'(en) défendre qu'à la sagesse de les prévoir ». Des Grieux connaît la valeur morale de sa bien-aimée. « Il est certain que je n'estimais plus Manon. Comment aurais-je estimé la plus volage et la plus perfide des créatures ? » Toutefois, il ajoute : « Mais son image, les traits charmants que je portais au fond de mon cœur y subsistaient toujours. » Les deux jouvenceaux unissent leur sort : une force secrète les condamne à s'aimer. « Combattre la passion, c'est tenter de changer la nature [1]. »

Quelle puissance surhumaine les contraint à l'amour ? Un dieu jaloux se plait-il à mystifier les pauvres mortels ? « Par quelle fatalité, se demande Des Grieux, suis-je devenu si criminel ? L'amour est une passion innocente; comment s'est-il changé pour moi en une source de misères et de désordres ? » Car l'amour engendre le mal et le malheur, fait, d'une aventure sentimentale, une tragédie qui s'achève dans les larmes et le sang. Comble de perfidie ! Quand les amants croient leur bonheur stable et mérité, la Fatalité les accable. Punition infligée par la divinité à la créature que souille le péché originel. « Un coup du ciel ? » « Providence impénétrable, qu'est-ce donc que l'homme ? Pourquoi le Ciel prend-il plaisir à ruiner ses félicités les mieux établies ? Est-ce pour lui apprendre qu'il n'en doit pas chercher dans les biens périssables de la terre [2] ? » Prévost l'avoue : la passion est incompréhensible. L'homme la subit sans en connaître les

1. *Le Doyen de Killerine*, IX, 3, 131.
2. *Mémoires* V, I, 266.

causes, sans en saisir le développement, sans en prévoir les vicissitudes. « Que l'amour est une étrange passion! » s'écrie-t-il. En tout cas, le chrétien l'accepte comme une épreuve imposée par la Providence, le philosophe indulgent l'excuse.

UNE MORALE SENSIBLE

« Outre le plaisir d'une lecture agréable, on y trouvera peu d'événements qui ne puissent servir à l'instruction des mœurs » déclare Prévost dans sa préface, voulant se justifier d'avoir écrit un roman scandaleux. Cette histoire serait donc un ouvrage d'édification. *La Bibliothèque raisonnée des ouvrages des savants de l'Europe* le confirme : « L'auteur n'a pas fait de difficultés de publier les faits de tous les personnages, persuadé que l'exemple de leur mauvaise conduite peut être utile. Les vices de cette nature, dit-il, servent pour ainsi dire de fanal à la vertu, ils l'éclairent, ils lui montrent les bornes qu'elle ne doit point passer et les précipices qu'elle trouverait au-delà. » Ainsi le romancier, reprenant la tradition racinienne, peint les excès de la passion pour en inspirer la crainte.

Ce roman crapuleux comporte donc une leçon morale. Certes Prévost, avant Diderot, affirme que « les plus doux moments de sa vie » se passent à s'entretenir avec un ami « des charmes de la vertu ». Trois leçons possibles : l'une donnée par Tiberge dans ses sermons à Des Grieux. Il faut réagir contre un amour avilissant qui n'engendre que des malheurs. Mais son ami ne l'écoute point, condamne l'ascétisme; l'auteur ne paraît pas lui donner tort.

• *Du repentir à la grâce*

D'ailleurs, les égarements du cœur et des sens font place aux sentiments édifiants. En Louisiane, le dévouement du chevalier trouve sa récompense, la morale chrétienne reprend ses droits. Manon « frappée par la foudre qui livre les cœurs » se repent, mesure ses torts et la magnanimité de son ami. Les deux amants ont enfin la paix et songent au mariage. Ils mènent une vie innocente, pieuse même. Mais Manon meurt, quand passion et morale vont s'accorder. Les coupables sont châtiés au moment où ils reviennent à la vertu. Cette conclusion austère, que veut-elle prouver? Le bonheur, la vertu seraient-ils des chimères?

Des Grieux ne succombe pas au désespoir : il est sauvé par « les lumières » de la grâce. Il revient en France, décidé à changer d'existence. Va-t-il renoncer au monde, vivre dans cette austérité qu'il rejetait jadis? Prévost a sans doute envisagé ce dénouement, puisque dans la première édition, on lit : « Le Ciel... m'éclaira des lumières de sa grâce et il m'inspira le dessein de retourner à lui par les voies de la pénitence. » Or, en 1753, il corrige : « Le ciel m'éclaira de ses lumières qui me firent rappeler des idées dignes de ma naissance et de mon éducation. » Des Grieux ne devient pas moine; il sera honnête homme, cherchera l'équilibre dans la mesure, en observant la loi chrétienne.

• *La vraie leçon du roman*

Telle est la solution du désespoir; le coupable ne s'y rallie qu'une fois seul. Manon était sa raison de vivre; leur amour, la raison d'être du roman. Cette leçon donnée in extremis répond-elle aux intentions profondes de l'écrivain? Le héros était parti à la quête du bonheur. « Il est certain que notre félicité consiste dans le plaisir » déclare-t-il à Tiberge. Quand il prend Manon dans ses bras, il s'écrie : « Tiberge a beau dire, ce n'est pas là un fantôme de bonheur. » Affirmation anti-chrétienne, écho des doctrines morales du temps. Les idées libertines se répandent, conseillant de chercher le bonheur en ce monde, sans l'attendre de Dieu. Bonheur terrestre, sans doute, inférieur à la félicité divine en prix et en durée, mais immédiatement accessible. « Dieu! pourquoi nommer le monde un lieu de délices! » dit le héros. Ce bonheur qu'il trouve en Manon est traversé de « regrets amers ». En butte aux tourments de la jalousie, même dans les périodes heureuses, il n'échappe pas à l'inquiétude. La passion même, son aliment et sa condition, lui fait obstacle.

Pourtant, ce roman est un hymne à la passion, moins principe de déchéance et source de malheurs que vertu bienfaisante : manifestation d'une riche sensibilité, d'une aptitude à s'émouvoir, signes de noblesse morale. Être sensible, c'est être vertueux, puisqu'une âme tendre est accessible à la pitié, à la bienfaisance. Mieux : la passion, à son paroxysme, est l'apanage des âmes hautes. Elle engendre la magnanimité, l'héroïsme.

Ainsi, la vraie leçon du roman, la voici : soyons indulgents aux impulsions naturelles. « Je hais l'indolence dans la jeunesse et je suis persuadé que la grandeur d'âme suppose de grandes passions. » Prévost est contemporain de Vauvenargues, précède Diderot et Rousseau. Il se refuse à condamner l'amour absolu, générateur de sacrifices sublimes; il présente sous un jour aimable ce vice, partie intégrante de notre nature. Le chrétien prend en pitié le couple maudit, le philosophe s'attendrit sur la grandeur d'une passion, ferment de générosité. Dès le 6 avril 1734, Montesquieu a compris le sens véritable de l'œuvre, dissimulé sous un voile de libertinage. « Je ne suis pas étonné que ce roman, dont le héros est un fripon et l'héroïne une catin qui est menée à la Salpêtrière plaise, parce que toutes les mauvaises actions du héros, le chevalier Des Grieux, ont pour motif l'amour, qui est toujours un motif noble, quoique la conduite soit basse [1]. »

1. *Mémoires*, VI, I, p. 352.

5 L'art de Prévost dans « Manon Lescaut »

ARCHITECTURE DU ROMAN

M. Etiemble écrit dans sa préface à l'édition de la Pléiade : « Comme ces tragédies de Racine que Prévost se désignait pour modèle, le beau roman, pour lui, est bien composé. » Et il ajoute : « Que ce roman du désordre moral et du trouble des passions procède sans faillir selon un ordre rigoureux, cela ne surprendra que ceux qui croient aux cris du cœur [1]. »

Effectivement, l'architecture est à la fois discrète et savante : le roman se présente sous la forme d'une confidence à l'homme de qualité. Pas de division en chapitres, afin de donner l'impression d'un récit d'une seule venue. Le texte est divisé en deux parties d'inégale longueur : 121 pages et 99, - la pause étant justifiée par la fatigue du narrateur. Le souper constitue un bref intermède. Bien que cet arrêt intervienne à un moment où les deux héros, évadés de prison, traversent une période calme, il ne constitue pas une rupture dans la chaîne des épisodes.

Cette continuité n'est pas monotone : car l'histoire est rythmée par une série d'heurs et de malheurs qui engendrent mouvement et variété; chaque incident remet en question la quiétude des amoureux à la suite d'un renversement brutal, mais plausible de la situation. Les scènes qui marquent un effondrement sont narrées avec rapidité; la plupart du temps, les réactions du chevalier et de Manon constituent les temps forts de l'intrigue.

• *La ligne de l'intrigue*

En général, les phases ascendantes correspondent aux initiatives des héros qui créent ou recréent les conditions de leur bonheur : Des Grieux enlève Manon p. 27, - est enlevé

1. Préface, édition Pléiade, p. 1210.

par elle p. 57 sq., - s'évade de Saint-Lazare p. 112 sq., - fait évader Manon p. 117 sq., - la retrouve et séquestre son rival p. 150 sq., - blesse en duel Synnelet et s'enfuit au désert avec sa maîtresse p. 226 sq., - l'ensevelit dans les sables p. 236. Les ruptures et les chutes sont dues soit au hasard (un incendie et un vol ruinent le couple, provoquent une nouvelle trahison de la jeune fille p. 66 sq.), - soit aux réactions des rivaux (M. de B., - M. de G. M., - Synnelet), - ou du père indigné (une séquestration de six mois p. 37 sq., - deux arrestations p. 95 et p. 188) - soit aux infidélités de Manon, avec M. de B. p. 37 sq., - avec M. de G. M. p. 76 sq., - avec le jeune G. M. p. 178 sq.

Les deux amants connaissent donc un bonheur éphémère et toujours menacé. Même réunis et amoureux, leur sort est plusieurs fois remis en cause par des malheurs subits, de plus en plus terribles : claustration, vol, prison, meurtre, déportation,... puisqu'ils aboutissent à la séparation définitive. Ainsi, l'intrigue, comme le destin des héros, forme une ligne irrégulière, en dents de scie, avec quelques segments horizontaux, correspondant aux rares moments de quiétude (les trois semaines passées dans l'appartement meublé de Paris p. 36 sq., - le premier séjour à Chaillot p. 62 sq., - le second séjour au même lieu p. 142 sq., - l'existence idyllique à la Nouvelle-Orléans p. 217 sq.,) ou bien aux longues périodes pendant lesquelles les amoureux languissent, séparés, dans une prison (p. 37 sq., - p. 95 sq., - p. 188 sq.).

• *Le découpage temporel*

En attribuant aux divers épisodes des durées inégales, Prévost fait subir au récit des accélérations et des coups de frein. Il emploie d'abord un artifice littéraire aussi vieux que l'Odyssée : le drame est présenté brusquement, presque au moment où il va se dénouer, puis une interruption de deux années permet à l'auteur de recueillir, sans invraisemblance, de la bouche du narrateur, des confidences dont les plus anciennes remontent bien au-delà de l'épisode conté au début.

La première rencontre entre l'homme de qualité et le couple fatal, à Pacy [1], a lieu en 1718. (La Nouvelle-Orléans

1. Localité située à 16 km au nord-est d'Évreux, entre Mantes et Les Andelys.

vient d'être fondée, et depuis 1717, on déporte en Louisiane des filles de joie.) En 1720, un hasard remet en présence Des Grieux et l'auteur. Le prologue nous reporte à l'année 1715 [1], au 28 d'un mois d'été (juillet?). Le chevalier, âgé de dix-sept ans, a achevé ses exercices publics et part en vacances chez ses parents. La première phase tient en trois semaines : il est logique que le départ soit prompt, - le jeune homme, envoûté par le charme de Manon, lie sans réfléchir son destin à celui d'une inconnue, - que la fillette, considérant cette liaison comme une passade, accepte les hommages du fastueux M. de B. (sa fidélité dure douze jours [2]). Puis intervient une longue période de séparation : gardé à vue « dans une chambre haute », pendant « six mois entiers », Des Grieux apprend de Tiberge la trahison de sa maîtresse, s'efforce de l'oublier, reprend goût aux études et à la vertu. Cette reconversion du chevalier persiste vingt-quatre mois (Manon lui reprochera d'avoir « laissé passer deux ans sans prendre soin de (s')informer de son sort »). Élève brillant, fils modèle, futur prêtre, le héros s'achemine vers un avenir paisible, lorsqu'il est retrouvé et enlevé par la fantasque Manon, - nouvelle cassure dans son destin, aussi brutale et déraisonnable que la première.

Donc, après un démarrage rapide, les amours des protagonistes sont longuement traversées. L'intrigue marque le pas; l'auteur passe vite, car cette période, que ne colore point la passion, est terne. Une fois le couple réuni, les événements iront en se précipitant. Si le refuge à Chaillot dure encore cinq ou six mois, plusieurs incidents vont troubler leur entente et amener une nouvelle catastrophe. Lescaut surgit dans leur intimité pendant l'été 1717; l'incendie détruit leur maison à l'approche de l'hiver, le vol est commis quelques semaines plus tard : il faut placer la liaison de Manon avec M. de G. M. au début du printemps 1718, l'arrestation vers Pâques. Nouveau ralentissement avec la double incarcération à Saint-Lazare et à l'Hôpital qui se prolonge près de trois mois. La double évasion, la mort de Lescaut et le

1. M. Lasserre fait remarquer que l'hôtel de Transylvanie ferme ses portes en 1714. Donc la rencontre doit être reportée à 1711. Des Grieux passe au séminaire l'année 1712-1713. Comme Manon n'a pu être déportée avant 1719, la durée de leurs amours est au moins de huit ans, et l'épisode de Calais se place en 1721. Mais il faudrait attribuer à la seconde partie des aventures une durée de trois ou quatre années. 2. P. 45.

deuxième séjour à Chaillot, tenant en quelques jours et en vingt-cinq pages, ont lieu dans l'été. Il s'est donc écoulé un peu moins de trois ans depuis le jour où le jeune homme aborda au relais d'Amiens une « belle inconnue ». Des Grieux est maintenant dans sa vingtième « année ».

Le second épisode occupe dans le roman une place à peine moindre que le premier, mais présente un chapelet d'événements d'une brève durée, trois ou quatre mois au plus. La densité des faits et des revirements de situation augmente, la cadence du défilé se précipite, la chute des deux amants s'accélère tandis que leur passion, en se purifiant, les sublime. Pendant les quelques semaines passées à l'auberge de Chaillot [1], un seul danger va menacer leur entente : les galanteries du prince italien. Puis le tourbillon des aventures les emporte et, en peu de temps, réglera leur destin : projets de Manon sur le jeune G. M., sa trahison demi-consciente, son entrevue avec Des Grieux, la ruse inventée par M. de T., le rapt de l'importun, la nouvelle arrestation des amants, la visite du père... Donc l'épisode entre la première évasion et la rencontre de Pacy ne recouvre pas plus de dix ou douze semaines. Or cette anecdote, qui prélude au récit, se situe dans l'été 1718. Quant aux péripéties de Louisiane, elles durent deux années, sont traitées en vingt-trois pages, constituant un roman en raccourci : phase heureuse, dix mois, - intervention de Synnelet qui ruine leur bonheur, duel, fuite au désert, mort de Manon, dernier emprisonnement du chevalier : trois jours. Le narrateur abrège son récit, passant presque sous silence une année de solitude en Amérique et deux mois de traversée, résumant les aventures de Tiberge, son ange gardien, en un paragraphe : Manon morte, son passé n'a plus d'intérêt à ses yeux.

« Ce plan, qui déjà nous satisfait par ses alternances et sa symétrie, nous lui découvrons un mérite plus rare, plus secret : quel agencement répondrait mieux à la morale du récit ou, si l'on préfère, à sa philosophie? Cette action qui, toutes les quelques pages, coupe l'haleine du lecteur, ... que fait-elle que manifester l'idée que Des Grieux se forme du destin [2]? » « Le ciel a toujours choisi, pour me frapper de ses plus rudes châtiments, le temps où la fortune me semble le

1. P. 143 sq. 2. Etiemble, Préface, éd. Pléiade.

mieux établie[1]. » Il serait exact de dire que le hasard favorise parfois les coupables amours des héros, souvent les accable. Plus que les actions humaines, il parsème l'intrigue de menus ressorts qui la mettent en branle. Il faut une étrange complaisance de la fatalité pour que le couple puisse connaître ces brusques changements de fortune.

• *Le rôle du hasard*

Sans la complicité du sort, cette aventure « de fortune et d'amour » se banaliserait en la peinture d'une union paisible que l'accoutumance finirait par embourgeoiser. Mieux : jamais elle n'aurait débuté : il fallut qu'une maligne curiosité poussât le chevalier à suivre le coche d'Arras pour l'empêcher d'être « sage et heureux ». L'histoire tragique de sa passion serait même restée ignorée si, par deux fois, à l'improviste, l'auteur et le narrateur ne s'étaient rencontrés. « C'est quelque chose d'admirable que la manière dont la Providence enchaîne les événements », s'écrie le jeune homme[2]. Providence ou Fatalité? Il faut souvent une intervention extra-humaine pour renouer les fils d'une trame toujours prête à se défaire. Par exemple, l'exclamation poussée par une vieille femme[3] établit le contact initial, - une hésitation de Manon[4] aurait suffi à décourager son amant, - Tiberge manque les fugitifs d'une demi-heure à Saint-Denis[5], - le couple loge dans un appartement meublé près de l'hôtel appartenant à M. de B.[6], - l'évasion de Manon manque d'échouer parce que le déguisement qu'on lui apporte est incomplet, - l'algarade avec le cocher est la cause indirecte du meurtre de Lescaut[7], - Des Grieux est disculpé miraculeusement - le hasard fait descendre le jeune G. M. à l'hôtellerie qui abrite les amoureux... Une chiquenaude du destin est alors nécessaire pour faire redémarrer l'intrigue qui s'essouffle et s'épuise.

En effet, la trame semble fragile, tant sont délicats les fils qui la constituent! Elle est faite d'avertissements, de rappels, de mises au point, tous peu perceptibles et qui déterminent sa contexture. Il arrive à Des Grieux de souligner l'importance d'un événement à venir : « Vous verrez que ce n'est pas

1. P. 150, p. 1212.
2. P. 128.
3. P. 20.
4. P. 30.
5. P. 51.
6. P. 35.
7. P. 129.

sans raison que je me suis étendu sur cette scène ridicule [1]. » « Je n'ai jamais su les particularités de leur conversation, mais il ne m'a été que trop facile d'en juger par ses mortels effets [2]. » « Je crains de manquer de force, pour achever le récit du plus funeste événement qui fût jamais [3]. » Le même incident, exactement répété, produit un effet identique : Manon apparaît trois fois à la fenêtre [4], et introduit dans l'action successivement le chevalier, M. de B., Lescaut. Ou bien le même tableau : Manon et Des Grieux blottis au fond d'un carrosse [5] souligne ce que leur situation a d'exceptionnel : fugue, fuite, arrestation. Un épisode, quand il est significatif, est repris, discrètement : nous en connaissons deux versions différentes, riches en révélations. Ainsi, le narrateur apprend la façon dont Manon l'a abandonné pour M. de B., de Tiberge d'abord [6], puis de l'infidèle. L'étrange compensation imaginée par la coupable (elle envoie une fille à son amant) est connue par le jeune homme [7], puis justifiée par l'héroïne [8]. Mais le procédé le plus courant consiste à ponctuer le récit de brèves réflexions : « Enfin, je vis tomber des larmes de ses yeux : perfides larmes [9]! » « Il m'assassina cruellement par le plus horrible des récits [10]. » « Je fermai les yeux sur cette tyrannie [11]. » « J'eus lieu de reconnaître que mon cœur n'avait point encore perdu tout sentiment de l'honneur [12]. » « Elle me protesta que son cœur était à moi pour toujours [13]. » « Je suis persuadé qu'il n'y a point d'honnête homme au monde qui n'eût approuvé mes vues [14]. » Ces indications psychologiques, révélant l'état d'esprit d'un personnage à un moment décisif, éclairent l'épisode et l'orientent. Le lecteur a l'illusion que des fils ténus le guident à travers le lacis des sentiments et des aventures, que la trame du roman se forme sous ses yeux.

• *Pointillisme picaresque*

Cette belle ordonnance est contrariée par le désordre propre au roman picaresque. Le goût des lecteurs a évolué depuis l'époque de *La Princesse de Clèves*. Le public de la Régence

1. 94. 2. 197. 3. 226. 4. 34, 59, 64. 5. 35, 129, 188. 6. 60. 7. 176. 8. 176. 9. 40. 10. 44. 11. 67. 12. 91. 13. 158. 14. 226.

aime les aventures extraordinaires ou sanglantes, le mouvement, l'imprévu. Certes, dans *Manon Lescaut*, beaucoup de péripéties appartiennent à l'actualité banale. Des Grieux fait la connaissance de sa belle amie dans un relais de poste, il converse avec Tiberge au Palais Royal, au Luxembourg, soutient une thèse en Sorbonne. Sa maison de Chaillot est incendiée, ses valets lui dérobent ses économies... Ces mésaventures ne dépassent pas le niveau des faits divers. Elles prennent place dans le cadre réel qui supporte l'intrigue.

Mais d'autres épisodes ont un caractère inhabituel : malgré une discrétion qu'il n'observe pas dans le reste de son œuvre, Prévost utilise tous les procédés rituels du roman d'aventures : trois enlèvements, autant d'évasions, des actions violentes animant le récit : arrestations, descentes de police avec exempt, archers, sbires, un meurtre en pleine rue, un autre à la porte d'une prison... On complote, on recrute des hommes de main, on se déguise, Des Grieux en écolier pour abuser le vieux G. M., Manon, en homme, quand elle prend la clé des champs. Certains événements sont plus colorés encore, et par leur pittoresque, préludent aux tumultueux romans de Balzac et de Hugo : le romancier décrit le sinistre convoi des filles enchaînées, il présente un duel à mort entre deux rivaux sous les murs d'un fortin, il montre Manon mourant d'épuisement dans un désert d'Amérique. Le dépaysement, le décor exotique donnent toujours aux aventures un ragoût d'étrangeté. Les hasards de la mer font partie des incidents rituels. Comme s'il se repentait de n'en point tenir compte, Prévost imagine la capture de Tiberge par des corsaires : l'amitié est un sentiment si fort qu'elle transfigure le paisible prêtre, qu'elle lui donne le courage d'affronter les tempêtes, les pirates, de s'échapper des Antilles. Mais ces sacrifices à une mode littéraire ne troublent guère la limpidité du récit, ne dérangent point la stricte structure de l'intrigue : ils se remarquent à peine, car ils sont contés rapidement, sans détails inutiles, et provoqués par des ressorts psychologiques. Pureté des lignes, enchaînement logique des faits, consistance de la trame, produisent une impression d'harmonie parfaite. Ce n'est pas là un des moindres mérites de cette œuvre.

UN STYLE UNIQUE

Ce roman est présenté comme la transcription d'une confidence. Or, si le narrateur est un dévoyé, il reste un homme du monde; il a des lettres : l'étude de l'éloquence sacrée, les exercices publics lui ont appris à exprimer sa pensée avec subtilité, sur le ton de la bonne compagnie. Aussi le style est caractérisé par l'aisance et la tenue. Les aventures sont narrées à une allure si preste que les personnages semblent emportés dans un tourbillon; les situations les plus scabreuses, les sentiments les plus malsains, perdant toute vulgarité, se parent d'une exquise discrétion.

• *Le style fluide du récit*

« Mon style, dit Prévost, je le verrais coulant, simple, expressif. » De fait, la phrase des épisodes narratifs est généralement brève, peu chargée de mots, toujours précise et pleine de naturel. Voici la première conversation entre le chevalier et Manon : « J'eus le plaisir, en arrivant à l'auberge, d'entretenir seul la souveraine de mon cœur. Je reconnus bientôt que j'étais moins enfant que je ne le croyais. Mon cœur s'ouvrit à mille sentiments de plaisir dont je n'avais jamais eu l'idée. Une douce chaleur se répandit dans mes veines... Mlle Manon Lescaut (c'est ainsi qu'elle me dit qu'on la nommait) parut satisfaite de cet effet de ses charmes... Nous nous entretînmes des moyens d'être l'un à l'autre... » La phrase est dépouillée à l'extrême : tout ce qui pourrait l'alourdir ou ralentir sa cadence est éliminé. Aucun mot de liaison, pas d'adverbe. Elle ne comporte guère que deux ou trois propositions dont chacune est indispensable. La lecture laisse une impression de facilité, d'élégance. « Je »..., « Elle »..., « Nous »... Aucune recherche apparente, ét pourtant, ni raideur, ni sécheresse. Les faits s'enchaînent d'une manière rapide, inéluctable, comme si les personnages agissaient malgré eux.

De cette manière sont racontés les enlèvements [1], les fuites [2], les arrestations [3], les évasions [4], les rencontres [5], l'incendie [6], le vol [7], la traversée [8]..., bref, tous les épisodes

1. 41, 61.
2. 32, 234.
3. 95, 183.
4. 117, 127.
5. 20, 25, 28, 65.
6. 66.
7. 81.
8. 218.

qui changent le cours des événements. L'impression qui demeure, c'est que le couple fatal est pris dans un engrenage l'entraînant à sa perte.

Cette légèreté de l'écriture sert une pudeur bien classique, débarrassant la phrase des éléments qui donneraient, de la réalité, une image trop crue. Très peu de comparaisons; trois ou quatre au plus, banales, incolores. « Je frémissais, comme il arrive lorsqu'on se trouve la nuit dans une campagne écartée [1]. » « Je ne le voyais plus que de loin comme une ombre qui s'attirait encore mes regrets [2]... » « Elle tremblait comme une feuille. » « Je le vis emmener comme un mouton [3]. » Presque jamais de pittoresque. Le linge sale de Manon enchaînée? Les chevaux du coche « qui paraissent fumants de fatigue et de chaleur [4]? » La clef de la cellule? Prévost n'emploie que des adjectifs abstraits, même quand il parle du monde extérieur; c'est une façon de purifier le réel. Donne-t-il une précision gratuite? elle accroît la vraisemblance par sa singularité ou son exactitude. Il n'oublie jamais d'indiquer l'heure de tel incident, signale que l'hôtelier d'Amiens est un ancien cocher de son père [5], que Lescaut loge chez un carrossier [6], la double chute de son chapeau et de sa canne [7], concessions exceptionnelles - il n'a pas le culte du petit fait, - chaque fois justifiées par le désir qu'on le croie.

La phrase narrative, pour rester fluide ou trotter allégrement, perd parfois son verbe : « Diligence inutile [8]! » ou ses conjonctions de subordination. C'est le cas en particulier des temporelles, exprimées par « après » suivi de l'infinitif : « après avoir passé la nuit [9] », - par un participe présent « étant allé me visiter [10] » - par un participe passé actif : « l'ayant vu à sa fenêtre [11] », - « nous ayant salués d'un air riant [12] », - souvent par un ablatif absolu qui, en l'isolant du reste, l'empêche d'alourdir l'ensemble : « Enfin un archer... ayant paru à la porte [13]... » « M. Lescaut, nous ayant donné un jour à souper [14]. » « L'heure du souper étant venue [15]. », - « sept heures étant sonnées [16] », - « mon père m'ayant obligé à le suivre [17]... »

1. 87. 2. 127. 3. 180. 4. 312. 5. 31. 6. 137. 7. 183. 8. 66. 9. 90. 10. 135. 11. 59. 12. 65. 13. 20. 14. 81. 15. 92. 16. 160. 17. 197.

- *Sous-entendus et désinvolture*

Surtout Prévost pratique l'art des sous-entendus et de l'atténuation, quand il porte un jugement ou analyse un état d'âme. Il semble proposer, suggérer, se gardant bien d'insister. Il use de la litote : « Je m'aperçus qu'on ne l'avait pas désespéré par un excès de rigueur [1]. » « Je n'étais pas sans argents [2]. » « J'étais un homme de quelque distinction [3]. » Le procédé le plus fréquemment employé consiste à rendre compte de la réalité par une transposition ou une équivalence, ce qui lui enlève son caractère choquant. Par exemple, Lescaut propose à Des Grieux de se livrer au vagabondage spécial. Avec quelle délicatesse il présente son infâme proposition! « N'avez-vous pas toujours, avec elle, de quoi finir vos inquiétudes quand vous le voudrez [4] ? » Il l'introduit dans un cercle de tricheurs : « Il me dit que, si je voulais tenter le hasard du jeu, il ne désespérait point qu'en sacrifiant de bonne grâce une centaine de francs pour traiter ses associés, je ne puisse être admis à sa recommandation, dans la ligue de l'Industrie [5]. » Une arrestation pour délit de droit commun devient « une disgrâce », la débauche « un désordre », un meurtre « une affaire ». Les laideurs et les ignominies sont effacées; la vie scandaleuse du chevalier et de ses familiers se présentent sous un jour presque innocent.

On dirait que le narrateur prend ses distances vis-à-vis de lui-même, des autres, des faits. Souvent il adopte le ton du persiflage. Ainsi quand il conte la fuite vaudevillesque de M. de B., surpris en flagrant délit [6], lorsqu'il s'écrie : « J'aurais sacrifié pour Manon tous les évêchés du monde chrétien [7]. » Voulant montrer le sans-gêne de Lescaut, il constate : « Ce fut une prise de possession [8]. » Parle-t-il des associés de son beau-frère? il les présente avec une feinte gravité sous les traits d'hommes d'affaires, groupés en syndicat : « Messieurs les Confédérés »; leur connivence devient un « honorable marché [9] ». Il apprend l'art de tricher au jeu « d'un des chevaliers, il est lui-même un « novice ». D'une façon mi-ironique, mi-plaisante, il constate sa détresse financière. « Je n'osais

1. 156.
2. 190.
3. 190.
4. 69.
5. 77.
6. 38.
7. 61.
8. 65.
9. 82.

lui déclarer que c'était de sa bourse que j'avais besoin [1] », appelle l'hôtel de Transylvanie « le théâtre de mes exploits [2] », raconte le souper ridicule où le trio berne M. de G. M. [3], l'évasion de Manon qu'une inadvertance pimente de grivoiserie.

Et toujours, la phrase garde l'allure souple, aisée, désinvolte en usage dans les salons. Des Grieux parle de prostitution, d'escroquerie, d'amours dépravées, d'assassinat, de séjour en prison... sur le ton de la conversation mondaine. Tous les personnages, les valets, les geôliers, les archers, les fripons s'expriment avec la distinction des petits marquis. Admirons le langage académique d'un sbire, faisant un rapport sur Manon : « Nous l'avons tirée de l'Hôpital... par ordre de M. le lieutenant général de Police. Il n'y a pas d'apparence qu'elle y eût été renfermée pour ses bonnes actions. Je l'ai interrogée plusieurs fois sur la route, elle s'obstine à ne me rien répondre. Mais, quoique je n'aie pas reçu ordre de la ménager plus que les autres, je ne laisse pas d'avoir quelques égards pour elle, parce qu'il me semble qu'elle vaut un peu mieux que ses compagnes [4]... » Peut-on s'exprimer avec plus d'agrément et mieux respecter les lois de la bienséance?

• *Le style exalté de la passion*

Mais dans les scènes fortes, après une trahison, une catastrophe, le chevalier exhale sa souffrance ou se heurte à un interlocuteur dont la présence le gêne (c'est le cas de son père, de Tiberge), le fait souffrir (s'il s'adresse à Manon infidèle). Alors, autre ton, autre style. Le vocabulaire, changeant de registre, devient tragique ou ampoulé, la phrase prend un rythme exalté, oratoire, le narrateur cultive systématiquement l'hyperbole.

Chaque fois qu'il parle de Manon, il la désigne par une formule précieuse, dont le maniérisme révèle l'intensité de sa passion : « la maîtresse de mon cœur [5] », « ma belle maîtresse [6] », « la souveraine de mon cœur [7] », « la plus chère moitié de moi-

1. 74.
2. 78.
3. 90.
4. 21.
5. 29.
6. 31.
7. 31

même [1] », ma chère reine », « l'idole de mon cœur, l'objet de tant de pleurs et de tant d'inquiétude »... Ces expressions, loin d'être des compliments banals, nous rappellent le caractère absolu d'une passion presque dévote.

S'en prend-il aux autres qui, généralement, l'exaspèrent parce qu'ils contrarient ses amours ? Il perd toute mesure, appliquant à des situations relativement communes des mots propres à la tragédie, multipliant les superlatifs. Les archers qui l'écartent de son amie sont « des misérables, de lâches coquins », les « braves » après leur dérobade deviennent « des traîtres. » Tout le monde se conduit envers lui avec « la dernière inhumanité », il subit « la plus détestable des barbaries [2] ». Quand il est hors de lui, ses propos sont pleins de menaces délirantes. A Lescaut qui l'a trompé : « Traître, c'est fait de ta vie. » Il veut aller poignarder B. [3] Pour se venger d'un autre rival, il s'écrie : « J'irai à Paris... Je mettrai le feu à la maison de B. et je le brûlerai tout vif avec la perfide Manon. » Multipliant les « bourreau », les « barbare », les « cruel », les « perfide », il est excessif dans son amour et dans sa haine. « La vue de Manon m'aurait fait précipiter du ciel [3] ». Si elle est infidèle, elle n'est plus que son « ingrate et parjure maîtresse. » Il a l'impression sincère que tout ce qui lui arrive est exceptionnel, en bien ou en mal. « Ce qui fait mon désespoir a pu faire ma félicité. » « Un instant malheureux me fait retomber dans des précipices. » Il verse « des torrents de larmes », fait « mille serments », donnerait « mille vies » pour être « seulement un quart d'heure à Paris. » On a reproché à l'auteur le langage excessif de son personnage, oubliant que le jeune homme est fou d'amour. La séparation, qui le frustre de la présence aimée, lui montre son état sous un jour tragique.

- *Variété des procédés*

Un procédé grammatical accentue le caractère exalté de sa passion et de ses propos : le recours fréquent à la proposition de conséquence. Il établit souvent entre la cause et l'effet un rapport disproportionné; d'où une brève principale s'opposant à une consécutive étoffée. « ... Elle me sembla si sensible

1. P. 103. 2. P. 102. 3. P. 46.

à notre malheur que sa tristesse eut bien plus de force pour m'affliger que ma joie feinte n'en avait eu pour l'empêcher d'être trop abattue [1]. » Parfois la proposition de conséquence est prolongée par une comparative [2] ou par une opposition [3], - l'auteur, le narrateur ou Manon paraissant désireux de tirer d'une constatation la totalité de ses effets.

Dans le discours direct, la phrase épouse les mouvements émotionnels. Or, quand Des Grieux rapporte ses paroles, il s'agit d'une circonstance qui le transporte ou l'indigne. A plusieurs reprises [4], il transcrit un monologue intérieur. Il mêle les affirmations, les négations, les interrogations, en petites phrases haletantes : « Non, disais-je, il n'a pas gagné le cœur de Manon, il lui a fait violence; il l'a séduite par un charme ou par un poison; il l'a peut-être forcée brutalement. Manon m'aime. Ne le sais-je pas bien? Il l'aura menacée, le poignard à la main, pour la contraindre à m'abandonner. Que n'aura-t-il pas fait pour me ravir une si charmante maîtresse! O dieux! dieux! serait-il possible que Manon m'eût trahi et qu'elle eût cessé de m'aimer [5]! » On dirait que le récitant, obsédé par une idée fixe, cherche à nier l'évidence. Ailleurs [6], il procède par hypothèses, questions, affirmations catégoriques, multipliant les sentences comme s'il voulait se convaincre qu'il adopte une sage décision. Dialogue-t-il avec un autre? il use de phrases brèves, saccadées (car il a toujours la gorge serrée par l'angoisse); on dirait que le présent l'indigne, ou qu'il explore un avenir incertain, timidement, par approches successives [7]. Notons au passage que chaque interlocuteur parle comme l'exigent son caractère et sa situation sociale : Tiberge, le prêtre, s'exprime avec la gravité sereine d'un directeur de conscience, Manon, sur un ton aussi tendu que son amant [8], le père, avec l'amertume ironique d'un homme de bien dont la confiance est trahie, M. de G. M. d'une façon sarcastique, le supérieur de Saint-Lazare avec onction... Par souci de vraisemblance, le récitant ne relate que des fragments de conversation, - ceux dont l'importance s'est fixée dans sa mémoire.

1. 82. 2. 82. 3. 100. 4. 46, 67, 84, 141. 5. 46. 6. 67. 7. Cf. en particulier l'entretien avec l'homme de qualité 22, avec le père supérieur 102, - les propos tenus à Manon, 142, à M. de T., 155, à la catin, 163, à Manon, 171. 8. 90, 148, 229.

Bien souvent, il les rattache à un passage narratif [1], fait alterner les styles direct et indirect [2], emploie un faux style indirect [3], lorsqu'il reproduit à la troisième personne les propos du garde [4] : « Il me parla de trois soldats aux gardes... M. de T. m'avait informé exactement du nombre d'archers... Cinq hommes hardis et résolus suffisaient pour donner l'épouvante à ces misérables... » Ce procédé élimine la principale : il dit que...

Pourtant, la plupart des conversations sont rapportées indirectement, avec quelque lourdeur. La phrase est étoffée par une série de complétives, dont chacune présente un argument. Quand Des Grieux essuie un sermon, une algarade, plaide sa cause, reproche à sa maîtresse une infidélité : « Elle me confessa que [5]... », - « Il me dit qu'il était trop parfaitement mon ami [6]... », - « Elle me dit que [7]... », - « Elle m'apprit que [8]... », - « Il me répondit que [9]... ». Sauf Tiberge. haute conscience, tous ont quelque chose à se reprocher : les uns leurs mensonges, d'autres leur égoïsme ou leur lubricité hypocrite. Est-il étonnant que le récit prenne maintes fois la forme d'un réquisitoire ou d'un plaidoyer? Les interlocuteurs s'accusent, se disculpent, simplement exposent l'état de leur esprit et les mobiles de leurs actes. Cet entretien respecte un ordre logique, sous l'apparence improvisée des dires. Il suffit de lire la longue discussion qu'eurent Tiberge et son ami à Saint-Lazare. On dirait que deux philosophes confrontent des conceptions divergentes sur l'existence, le bonheur, la nature humaine.

« Il est des styles qui n'apparaissent qu'une fois, dira plus tard Vinet. On n'écrira plus comme l'abbé Prévost; Manon est le dernier exemplaire d'un style perdu [10]. » Suprême qualité de ce style! ses procédés sont insaisissables, tant il donne l'illusion de la facilité. Pas un mot de trop, point d'affectation, toujours l'écrivain trouve la note juste. Ce roman, ne serait-ce que par l'aristocratique perfection de son écriture, semble l'une de ces créations exquises qui reflètent la grâce de la Régence.

1. 27, 79. 4. 7. 51.
2. 60 sq. 5. 30. 8. 57.
3. 207. 6. 33. 9. 107. 10. Cité par Etiemble, préface, éd. Pléiade, p. 1206.

Conclusion

INFORTUNE ET FORTUNE DE « MANON LESCAUT »

• *Un succès de scandale*

Le roman, ignoré pendant deux ans, connut à sa publication un succès de scandale; médiocrement goûté jusqu'à l'époque romantique, il est, depuis La Harpe, considéré comme l'un des dix meilleurs romans français, selon l'expression d'André Gide.

Les contemporains apprécièrent l'agrément du style, mais se déclarèrent choqués par l'indignité des deux héros. Si Voltaire, qui n'aime guère Prévost, parle néanmoins « du tendre et passionné auteur de Manon Lescaut [1] », si *le Journal de Paris et de la Cour* reconnaît : « Cet homme peint à merveille; il est en prose ce que Voltaire est en vers », les esprits pointilleux s'indignent. Après la saisie du livre (5 octobre 1733) sur l'ordre de M. Rouillé, le même journal approuve cette rigueur. « Ce livre, qui commençait à avoir une grande vogue, vient d'être défendu. Outre qu'on y fait jouer à des gens en place des rôles peu dignes d'eux, le vice et le débordement y sont dépeints avec des traits qui n'en donnent pas assez d'horreur [2]. » Manon exerce un charme pervers qui séduit et inquiète. Le grave bâtonnier Mathieu Marais, deux siècles avant André Wurmser, la voue aux gémonies : « Cette héroïne est une coureuse sortie de l'Hôpital et envoyée au Mississipi à la chaîne. » Mais il se laisse enjôler un instant : « Voyez *Manon Lescaut*, et puis la jetez au feu; mais il faut la lire une fois, si mieux n'aimez la mettre dans la classe des Priapées où elle brigue une place [3]. » Montesquieu, qui lit le roman le 6 avril 1734, est plus mesuré dans ses remarques. Il pardonne aux personnages leurs fautes, car ils sont animés d'une passion aveugle et sublime par sa démesure. Mais

1. A propos du Temple du Goût 28-7-1733. 2. 3-10-1733. 3. *Journal de Paris et de la Cour*, 12-10-1733.

Lenglet-Dufresnoy reproche à Prévost de connaître « un peu trop le bas peuple de Cythère [1] ».

Ce qui est étrange, c'est que, dès ses débuts, le roman est avant tout pour le public l'histoire de Manon. « Trop fouillé, le caractère du chevalier n'a pas fasciné les foules qui l'oublient pour sa petite catin; pauvre Des Grieux, trop riche de tout Prévost! » écrit M. Etiemble [2]. Pourtant le titre primitif place le chevalier avant sa belle : une étude attentive révèle que le bon abbé n'a point voulu raconter l'histoire d'une fille, mais analyser « la déchéance d'un jeune chevalier qui se destine à l'ordre de Malte [3]. » Tout de suite, c'est Manon qui s'impose, avec son inconduite, sa frénésie sensuelle, son appétit de jouissance; on ne tient aucun compte de sa conversion ni de son sacrifice final. L'auteur a beau protester qu'il a voulu montrer les dangers du vice et la grandeur de la vertu [4], l'ouvrage est supprimé le 18 juillet 1734. Il est vrai que, lors de la réédition des *Mémoires* en 1738, par la veuve Delaulne, le trop fameux tome sept est publié avec le reste et les pouvoirs publics ferment les yeux.

• *Un chef-d'œuvre méconnu*

A partir de cette date, les frasques de la belle n'attirent plus les foudres de la censure. Mais les lecteurs éclairés témoignent à son égard d'une singulière désaffection. Le genre romanesque n'est pas pris au sérieux par les intellectuels qui pensent, comme l'abbé Raynal [5] : « Il faut amuser les oisifs incapables de s'intéresser à l'histoire et à la morale. Les romans, voilà leur lecture favorite. » Qui plus est! *Manon Lescaut* n'est même pas l'œuvre la plus prisée de Prévost. Déjà en 1732, l'abbé Le Blanc écrivait à Bouhier : « J'ose vous demander grâce pour *Cleveland* [6]. » Grimm, pour qui Prévost est « le maître dans l'art d'émouvoir et d'agiter les cœurs » ne fait pas allusion à *Manon*, pas plus que Diderot [7]. Rousseau vante *Cleveland* [8], Marmontel reprend à son compte

1. *Lettre à Bouhier*, 1-12-1733. 2. Préface à l'éd. de la Pléiade, 1960, p. 1204. 3. *Id.* 4. *Pour et Contre*, 1734, n° 36. 5. *Nouvelles littéraires*, partie XVI, p. 138-139, 1750. 6. *Lettre* du 3-5-1732. 7. *Correspondance littéraire*, t. II, éd. Tourneux. De la poésie dramatique, II, t. VII, p. 313, 1758. 8. *Confessions*, t. I, p. 356 et II, p. 268.

l'accusation d'immoralité [1]. Prévost, à l'en croire, n'a pas montré que « le malheur était l'effet du crime, le crime, l'effet de l'égarement, l'égarement, l'effet de la passion. »

• *L'admiration des Romantiques*

C'est La Harpe qui le premier rendit justice à *Manon Lescaut :* « Comment, direz-vous, pouvez-vous mettre tant de prix aux aventures d'une fille entretenue et d'un chevalier d'industrie ? C'est qu'il y a de la passion et de la vérité. C'est que le caractère de Manon est traité d'après nature [2]. » Tout le siècle romantique admire l'héroïne. Villemain compare son auteur à Walter Scott et à Chateaubriand [3], Gustave Planche fait un éloge du roman, louant « la soif inapaisée d'affection » de la prostituée [4]. Musset fait allusion à Manon dans Namouna. Flaubert écrit à Ange Pechmedjat : « Ce qu'il y a de fort dans *Manon Lescaut*, c'est le souffle sentimental qui rend les deux héros si vrais, si sympathiques, si honorables, quoiqu'ils soient un peu fripons [5]. » Sainte-Beuve consacre trois articles au roman [6], Michelet y voit un reflet, non de la Régence, mais du grand règne à son déclin [7]. A. Dumas fils dit : « C'est le paroissien de la courtisane » qui rend le vice « gracieux, émouvant, sentimental » [8] tandis que Barbey d'Aurevilly flétrit « cette ignoble Hélène qui pour quelques écus, fait, à toute minute, de son Pâris, un Ménélas [9]. » Maupassant célèbre en Manon « la séductrice, plus vraiment femme que toutes les autres, naïvement rouée, perfide, aimante, tremblante, spirituelle, redoutable, et charmante [10]. »

• *De la scène à l'écran*

Le thème de Manon inspira, du vivant de Prévost, une suite, attribuée à Laclos [11], et une œuvre étrangère d'A. Dumas fils, *Le Régent Mustel* où l'on voit Manon et Des Grieux rencon-

1. *Essai sur les romans*, t. X, p. 317, 1819. 2. *Cours de littérature*, 1829, t. XIV, p. 234. 3. *La littérature au XVIIIe siècle*, 1868, p. 253, t. I. 4. *Revue des Deux-Mondes*, 1838, t. XVI, p. 333. 5. *Lettre* du 16-1-1861. 6. Portraits littéraires. *Derniers portraits. Causeries du lundi*, t. IX. 7. *Histoire de la Régence*, XIX, 1863. 8. Préface de l'édition Montaiglon, 1875. 9. Romanciers d'hier et d'aujourd'hui. Constitutionnel, 2-3-1875. 10. Préface de l'édition Tallandier, 1885. 11. Amsterdam, 1762.

trer deux autres couples célèbres : Paul et Virginie, - Charlotte et Werther. Il fut souvent porté à la scène et mis en musique. En 1830, Scribe et Halévy font jouer un *Manon Lescaut*, ballet-pantomime en trois actes, Scribe et Auber un autre *Manon Lescaut*, opéra-comique en trois actes (1856). Le drame musical le plus célèbre fut composé par Massenet en 1884 : c'est un opéra-comique en cinq actes et six tableaux, paroles de Meilhac et de Gille. Olivia et Puccini reprennent cette histoire d'amour dans un drame lyrique en quatre actes (1893). L'écran a présenté par deux fois les infortunes du chevalier et de son amie. 1948 : H.-G. Clouzot transpose l'aventure dans le Paris de la libération. A leur tour, Catherine Deneuve et Sami Frey ont réincarné le couple célèbre qui, au temps des Boeings et du whisky, danse encore les pas de la coquetterie et de la passion aveugle. Prévost fut le chorégraphe d'un ballet psychologique qui n'est pas près de vieillir.

Annexes

▶ Extraits de jugements critiques

Voici comment quelques écrivains célèbres ont jugé *Manon Lescaut* au fil des siècles. (Leurs réactions ont été sommairement étudiées dans le chapitre précédent.)

• Sévérité de Montesquieu qui pose au moraliste :

« J'ai lu, ce 6 avril 1734, *Manon Lescaut*, roman composé par le père Prévost. Je ne suis pas étonné que ce roman plaise ; parce que toutes les mauvaises actions du héros, le chevalier Des Grieux, ont pour motif l'amour, qui est toujours un motif noble, quoique la conduite soit basse. Manon aime aussi ; ce qui lui fait pardonner le reste de son caractère. »

Mélanges et fragments inédits.

• Voltaire a eu de la sympathie pour Prévost. En 1740, quand Prévost est criblé de dettes, il le recommande au roi de Prusse Frédéric. Auteur tragique, il est surtout sensible au caractère pathétique et tragique du roman :

« Je n'ai jamais parlé de l'abbé Prévost que pour le plaindre d'avoir manqué de fortune. Si j'ai ajouté quelque chose sur ce que j'ai lu de lui, c'est apparemment que j'ai souhaité qu'il eût fait des tragédies, car il me paraît que la langue des passions est sa langue maternelle. »

Correspondance, 1735.

• Sainte-Beuve, l'auteur d'un roman psychologique, *Volupté*, admire la vérité psychologique et la finesse de l'analyse :

« Plus on lit *Manon Lescaut* et plus il semble que tout cela soit vrai, vrai de cette vérité qui n'a rien d'inventé et qui est toute copiée sur nature. S'il y a un art, c'est qu'il est impossible au lecteur de sentir l'endroit où la réalité cesse et où la fiction commence. Ce sont les expressions les plus simples de la langue ; les mots de *tendresse*, de *charme*, de *langueur* y reviennent souvent et ont sous la plume de l'abbé Prévost une douceur et une légèreté de première venue qu'ils semblent n'avoir qu'une fois. »

Causeries du Lundi, IX.

• Flaubert, qui créa Madame Bovary, autre victime de la passion amoureuse, loue en Prévost le peintre puissant et vrai de l'amour :

« Ce qu'il y a de fort dans *Manon Lescaut*, c'est le souffle sentimental, la naïveté de la passion qui rend les deux héros si vrais, si sympathiques, si honorables, quoiqu'ils soient des fripons. »

Correspondance (1861).

• Son disciple Guy de Maupassant apprécie la perfection formelle du livre et la vérité de la peinture des mœurs :

« ... Cette nouvelle immorale et vraie, si juste qu'elle nous indique à n'en point douter l'état de certaines âmes à ce moment précis de la vie française, si franche qu'on ne songe pas même à se fâcher de la duplicité des actes, reste comme une œuvre de maître, une de ces œuvres qui font partie de l'histoire d'un peuple. »

Préface pour l'édition Tallandier (1885).

• Jugement de Pierre Mac Orlan : ce romancier, qui campa tant de personnages en marge de la société, aime tout dans le roman : l'auteur qui vécut irrégulièrement et parfois dangereusement, la société de la Régence, insoucieuse de morale, éprise de plaisir, l'évocation de la pègre de 1715, les deux héros surtout, dévergondés et distingués, dont l'aventure est de tous les temps :

« Les aventures tendres et crapuleuses du chevalier sont de celles qui font d'un livre un roman qui s'adapte à toutes les époques de la vie sociale... Transposée dans le climat de notre temps qui se situe dans les faubourgs de l'an 2000, l'histoire simplement dite par l'abbé devient un drame de la pègre, celui des truands de bonne famille et de la rue, celui des fillettes immorales, mais charmantes, dont le cœur est comme le cœur des marguerites qui provoquent les doigts qui les effeuillent à la manière d'un jeu de hasard. »

Préface de l'édition Gallimard (1959).

• « Des Grieux, ayant justifié l'amour à ses yeux, aime Manon envers et contre tous, malgré les pires déchéances. Il se rend compte, dans ses rares moments de lucidité, que cette passion le dégrade. Alors il essaie de réagir, mais en vain ; sa chute le précipite aux abîmes. Il viole successivement le respect paternel, l'amitié, l'honneur, les lois, la justice ; il est la victime consciente et résignée du destin... Manon est le portrait fidèle d'une société qui se reconnaît en elle. Le succès du livre n'a pas d'autre cause : Prévost établit, comme Marivaux, une parfaite concordance entre son œuvre et le public auquel il s'adresse. Il en résulte une sympathie immédiate, un accord tacite que les rares qualités du livre assureront à jamais. Oui, Manon porte en elle une force qui paraît neuve, parce qu'elle répond exactement à l'idéal de l'époque : ne pas prendre l'amour au tragique, allier le goût du plaisir et de l'argent à la sensualité, se donner selon son caprice d'un jour, marquis, marquises et soubrettes n'en demandent pas plus. Mais brusquement, Manon semble dépasser le siècle, ne plus lui appartenir, rejoindre, par son esprit d'abnégation et de sacrifice, les âmes hautes et les cœurs droits. »

P. TRAHARD, *Les maîtres de la sensibilité française au XVIIIe siècle*, Boivin, 1933 (I, p. 140 - I, pp. 133-134).

• « Nous n'aurons jamais un portrait en pied de Manon. Elle n'apparaît qu'à travers l'âme de son amant. Mais nulle création poétique n'a jailli d'un plus grand amour. Celui-ci, peu à peu, nous enveloppe, nous pénètre, tant Prévost sait voiler le réel et lui substituer les sentiments qui se partagent l'âme de Des Grieux, à mesure qu'il raconte son histoire. »

H. RODDIER, *L'abbé Prévost,* Hatier, 1955, p. 106.

• « ... Si légère, l'esquisse de Manon, si convenue qu'il n'est pas besoin d'une longue pratique des femmes ou d'une imagination puissamment organisée, pour élaborer ce genre de catin. Moins superficielle, Manon n'aurait probablement pas évincé son chevalier dans le cœur des lectrices et des lecteurs plus banal un portrait de fillette, plus émerveillés les nigauds Trop fouillé, le caractère du chevalier n'a pas fasciné les foules qui l'oublient pour sa petite catin. »

ETIEMBLE, *Préface à « Manon Lescaut »*, Pléiade, N.R.F., 1960, p. 1203.

ŒUVRES DE PRÉVOST : QUELQUES TITRES

L'Histoire du Chevalier Des Grieux et de Manon Lescaut, tome septième des *Mémoires et Aventures d'un homme de qualité qui s'est retiré du monde* (à Amsterdam, aux dépens de la Compagnie), constitue une « œuvre miracle » dans une production considérable de cent douze volumes.

Parmi eux :

Mémoires et aventures d'un homme de qualité, Paris, Amsterdam, t. I-IV, 1728, t. V-VII, 1731 ?

Le Philosophe anglais ou Histoire de Monsieur Cleveland, Paris, La Haye, t. I-IV, 1731, t. V, 1732, t. VI, 1738, t. VII-VIII, 1739.

Le Doyen de Killerine, Paris, La Haye, t. I, 1735, t. II et III, 1739, t. IV-VI, 1740.

Histoire d'une Grecque moderne, Amsterdam, t. I-II, 1741.

Mémoires pour servir à l'Histoire de Malte, ou Histoire de la jeunesse du Commandeur, Amsterdam, t. I-II, 1741.

Campagnes philosophiques ou Mémoires de M. de Montcal, Amsterdam t. I-IV, 1741.

Ces romans ne représentent qu'une partie de l'œuvre. Prévost fut publiciste (*Le Pour et Contre,* ouvrage périodique d'un goût nouveau, Paris, 1733-1740, 20 volumes), historien (*Histoire générale des voyages,* Paris, 1746, 20 volumes), lexicologue (*Manuel lexique,* Paris, 1750), traducteur (*Paméla ou la Vertu récompensée,* traduit de Richardson, Londres, t. I-IV, 1742, *Lettres anglaises ou Histoire de Miss Clarisse Harlowe,* traduit de Richardson, t. I-IV, 1751, *Histoire du chevalier Grandison,* traduit de Richardson, t. I-III, 1755, t. IV-VI, 1756. *Mémoires pour servir à l'histoire de la vertu ou Journal d'une jeune dame,* traduit de Sheridan, t. I-IV, 1762. *Almoran et Hamet,* anecdote orientale, traduit de John Hawkesworth, 1763.)

SUR LES ÉDITIONS DE « MANON LESCAUT »

Histoire du Chevalier Des Grieux et de Manon Lescaut, à Amsterdam, aux dépens de la Compagnie, 1753 (édition revue par l'auteur. Les corrections, toujours heureuses, permettent d'apprécier le goût et la conscience artistiques de Prévost.)

Presque toutes les éditions ultérieures reproduiront le texte de 1753. Tel est le prestige du roman que des écrivains connus ont préfacé plusieurs éditions.

1839 *Manon Lescaut* préface de Jules Janin.
1839 *Manon Lescaut* avant-propos de Sainte-Beuve.
1874 *Manon Lescaut* édité par Arsène Houssaye.
1875 *Manon Lescaut* préface d'Alexandre Dumas fils.
1879 *Manon Lescaut* édition préfacée par Anatole France.
1885 *Manon Lescaut* édition préfacée par Guy de Maupassant.
1959 *Manon Lescaut* présenté par Pierre Mac Orlan.
1960 *Manon Lescaut* préface de R. Etiemble.
1962 *Les aventures du Chevalier Des Grieux et de Manon Lescaut précédées de neuf fragments des Mémoires et aventures d'un homme de qualité,* Club français du livre, Paris.
1962 *Manon Lescaut* Laffont, Paris.
1964 *Histoire du Chevalier Des Grieux et de Manon Lescaut,* Garnier, Paris.
1965 *Manon Lescaut* notice, étude générale d'Adolphe Bouvet, Bordas, Paris.
1967 *Manon Lescaut* préface de Louis Bouvet, Ed. Rencontre, Lausanne.
1977 *Œuvres de l'abbé Prévost,* publiées sous la direction de Jean Sgard, Grenoble.
1979 *Histoire du Chevalier Des Grieux et de Manon Lescaut* préface de Robert Mauzi, Imp. nationale, Paris.

Parmi les éditions plus spécialement destinées aux étudiants :

Histoire du chevalier Des Grieux et de Manon Lescaut, avec une introduction et des notes par Maurice Allem, Paris, 1927.

Histoire du chevalier Des Grieux et de Manon Lescaut, étude critique, introduction, notes et index, par Georges Matoré, Droz et Giard, Genève et Lille, 1953 (texte de 1731, avec les variantes de 1753).

Histoire du chevalier Des Grieux et de Manon Lescaut, texte établi et présenté par Paul Vernière, Paris, 1957.

PRINCIPAUX OUVRAGES A CONSULTER

H. HARRISSE, *l'Abbé Prévost, histoire de sa vie et de ses œuvres.* Paris, Calmann-Lévy, in-12, 1896.

V. SCHROEDER, *l'Abbé Prévost, sa vie, ses romans,* Paris, Hachette, in-18, 1898.

P. HAZARD, *Études critiques sur Manon Lescaut,* Chicago, III, the University of Chicago Press, 1929.

E. LASSERRE, *Manon Lescaut de l'abbé Prévost.* Paris, Malfère, in-12, 1930.

A. WURMSER, Conseils de révision. Un roman crapuleux : *Manon Lescaut,* dans *la Lumière,* 3 février 1939.

L. CELLIER, *Manon et le Mythe de la femme.* L'Information littéraire, janvier 1953.

H. RODDIER, *l'Abbé Prévost, l'homme et l'œuvre.* Collection Connaissance des Lettres, n° 44, Paris, Hatier, 1955.

C.-E. ENGEL, *Le Véritable abbé Prévost,* préface d'André Chamson, de l'Académie Française, Monaco, 1958.

J. DUCARRE, Sur la date de Manon Lescaut et H. RODDIER : *La véritable histoire de Manon Lescaut,* dans Revue d'Histoire littéraire de la France, avril-juin 1959, p. 205-207 et 207-213.

E. JOYEUX, *Les récits de Des Grieux,* French Studies in Southern Africa, Pretoria, 1980, p. 2 à 18.

P. ROSMORDUC, *Le monde moral de Prévost.* Une dynamique des passions. Thèse d'état, Université de Paris IV, 1981.

J. GARAGNON, *l'Abbé Prévost et l'Utopie,* Studies in Eighteenth Century Culture VI, 1977, p. 439 à 457.

A.-M. PERRIN-NAFFAKH, *Le cliché dans Manon Lescaut,* Information littéraire, XXX, 1978, p. 23 à 26.

ZATLONKAL, *Sur Manon Lescaut, de l'abbé Prévost,* Romanica Olomucensia, 1979, p. 71 à 96.

Index des thèmes

COLLECTION PROF!L

Série Dossier. Les grands problèmes économiques et sociaux de notre temps à travers un oix d'articles de presse et d'extraits d'ouvrages de base.

501 **La famille en question,** M.-M. Salort/J. Brémond
502 **Les nationalisations,** J. Brémond
503 **Les paysans en France,** R. Jammes
504 **La civilisation de l'automobile,** J. Brémond
505 **La santé,** M.-M. Salort
506 **Les salaires et autres revenus,** P. Bédérède
507 **La publicité,** J. Brémond
508 **Les loisirs,** C. Laurent-Atthalin/V. Merle
509 **Le Japon : économie et société,** H. Brochier
510 **Le chômage,** C. Laurent-Atthalin/V. Merle
511 **L'énergie nucléaire et les autres sources d'énergie,** R. et G. Guglielmo
Pays sous-développés ou pays en voie de développement ?
512 **T. 1 : voir, comprendre, analyser,** J.-F. Couet/J. Brémond
513 **T. 2 : batailles pour le développement,** J.-F. Couet/R. Lignières
514 **Les syndicats,** A. Gélédan
517 **La division du travail,** R. Jammes/M.-C. Ferrandon
518 **Comprendre les problèmes monétaires. T. 1,** J. Brémond/A. Cohen/ M.-C. Ferrandon
519 **Les États-Unis. T. 1,** P. Combemale
520 **Les États-Unis. T. 2,** P. Combemale
521 **A quoi servent les impôts ?** B. Magliulo
522 **La ville,** N. Bandier/D. Dehoux/Y. Grafmeyer
523 **Le Royaume-Uni, trente ans de difficultés,** J. Leruez
524 **L'U.R.S.S., une économie socialiste,** M. Lavigne/A. Tiraspolsky
525 **L'industrialisation de la France au XIXe siècle,** L. Bergeron
526 **La France depuis 1945,** M.-C. Ferrandon/I. Waquet
527 **La Chine, politique et économie,** H. Brochier
528 **La révolution industrielle en Grande-Bretagne,** D. Redor/J.-P. Rioux
529 **Comprendre les problèmes monétaires, T. 2 : le système monétaire international,** A. Cohen/M.-C. Ferrandon
530 **La télévision,** J.-P. Bozouls/H. Pérès
531 **Paris et la région Ile-de-France,** Y. Katan
532 **L'U.R.S.S., pouvoir et société,** M. Lavigne/A. Tiraspolsky
533 **La multinationalisation des entreprises,** D. Redor
534 **Information et pouvoirs,** J. Weber-Amouyal
535 **Sport et société,** J.-P. Bozouls/B. Magliulo/H. Pérès
536 **Approches sociologiques des classes sociales,** J. Chapoulie/S. Bosc
537 **La durée du travail,** D. Kirchner/C. Laurent-Atthalin
538 **Les cadres,** M.-M. Salort
539 **La C.E.E., Tome 1,** C. Lennuier/R. Lignières
540 **Le pouvoir des consommateurs,** C. Angoujard/J.-D. Tortuyaux
541 **Progrès technique et changement social,** D. Dehoux/Y. Grafmeyer
542 **La mer, un enjeu économique,** P.-J. Lancry
543 **La C.E.E., Tome 2,** C. Lennuier/R. Lignières
544 **Le cinéma, un art, une industrie,** N. Corvi/M.-M. Salort
545 **La décentralisation,** E. Hérichon
546 **Les banques,** F. Chatagner/B. Allain
547 **L'insécurité alimentaire mondiale,** A. Nonjon

Série Société. Le point sur les questions fondamentales dans le domaine des Sciences ciales, économiques et politiques. Des synthèses prenant appui sur les derniers travaux ientifiques et formulées dans un langage simple.

001 **Les classes sociales : principes d'analyse et données empiriques,** J.-P. Briand et J.-M. Chapoulie
002 **Croissance et crises : éléments d'analyse,** A. Cohen/P. Combemale
003 **La R.F.A. : le modèle dans l'impasse ?** B. Keizer
004 **L'Inde et le non-développement,** S. Ewenczyk/P. Weibel
005 **Les États-Unis : une hégémonie menacée ?** M. Fouet
006 **Le Royaume-Uni : une économie à contre-courant,** Y. Barou
1 007 **La politique sociale : histoire, enjeux et crise,** J. Guéguen-Baslé/M. Baslé
1 008 **Analyser la conjoncture,** M. Fouet
1 009 **L'État et la politique économique en France depuis 1945,** J. Guéguen-Baslé/M. Baslé
1 010 **La population de la France des années 80,** M.-L. Lévy
1 011 **La crise de la sidérurgie française,** M. Freyssenet/C. Omnès
1 012 **Histoire d'une filière : immobilier et bâtiment en France (1820-1980),** M. Lescure
1 013 **Les balances des paiements : éléments d'analyse** D. Plihon/I. Waquet

COLLECTION PROFIL

Imprimé en France, par l'Imprimerie Hérissey, 27000 Évreux
Dépôt légal : 9479 — Octobre 1986 — N° d'impression : 41256